D0582716

La ville aux gueux

Pauline Harvey

La ville aux gueux

Présentation de
Madeleine Ouellette-Michalska

BQ

BIBLIOTHÈQUE QUÉBÉCOISE

Bibliothèque québécoise inc. est une société d'édition administrée conjointement par la Corporation des Éditions Fides, les Éditions Hurtubise HMH Ltée et Leméac Éditeur.

Typographie et montage électronique : Dürer *et al.* (MONTRÉAL)
Couverture : Évelyne Butt

Données de catalogage avant publication

Harvey, Pauline, 1950-
La ville aux gueux
(Littérature)
Éd. originale : Montréal : Éditions de la Pleine Lune, tirage 1982.
Publié à l'origine dans la coll. : Roman.

ISBN 2-89406-095-5

I. Titre. II. Collection : Littérature (BQ).
PS8565.A679V55 1994   C843'.54   C94-940256-7
PS9565.A679V55 1994
PQ3919.2.H37V55 1994

DÉPÔT LÉGAL : DEUXIÈME TRIMESTRE 1994
BIBLIOTHÈQUE NATIONALE DU QUÉBEC
ISBN : 2-89406-095-5

Éloge du jeu

Avant de mettre en scène des intellectuels au chômage, des jeunes gens insouciants et déboussolés qui hantent Montréal et nos villes modernes, Pauline Harvey s'est d'abord intéressée aux clowns et aux saltimbanques d'une autre époque. Comme quelqu'un dont la mémoire serait restée imprégnée des histoires remplies de fantastique et de merveilleux lues dans l'enfance, elle nous présente dans ses deux premiers livres, *Le deuxième monopoly des précieux* et *La ville aux gueux*, un univers de saltimbanques, de sorcières et de fous du roi beaucoup plus intelligents que les maîtres et maîtresses de châteaux qu'ils s'emploient à distraire.

On aimera tout particulièrement le dernier livre si l'on a gardé l'attrait du jeu et une certaine faculté d'émerveillement. S'être gavé de contes et de fables à saveur ancienne, avant le passage à l'ère du Nintendo, ne serait pas non plus nuisible. Car « Voulez-vous jouer avec moi ? » pourrait être le sous-titre de *La ville aux gueux*, récit publié il y a douze ans, hors de toute mode et, l'on dirait presque, de toute influence contemporaine.

Je dis bien jouer. Se sentir ragaillardi de l'intérieur. Se laisser atteindre par une sorte de grande joie élémentaire qui ne renie rien des sagesses acquises. Après tout, une fois n'est pas coutume. Le comique intelligent est aussi rare en littérature qu'au cinéma. De ce côté, ne pensons pas aux simagrées d'un Louis de Funès qui vous étourdit par ses automatismes et ses excès. Ni à la psychologie rabâchée à coups de gros points sur les *i* de *Vol au-dessus d'un nid de coucou*. Non, c'est plutôt au film *Le roi de cœur* de Broca, et à ses fous descendus dans la ville pour y faire la fête, que font penser les gueux de Pauline Harvey. Ou, si l'on cherche quelque chose de plus récent, revoyons *Les visiteurs* de Jean-Marie Poiré où des hurluberlus d'un autre âge s'étonnent des bizarreries de la vie moderne à laquelle ils doivent s'initier.

Voyons d'abord ce que raconte *La ville aux gueux*. Fuyant la famine et la peste, trois saltimbanques arrivent dans un lieu prospère nommé Varthal, après avoir traversé une dizaine de pays. Ils s'appellent Cécil, Lyly, Rozie. Rusés, finauds, baratineurs, ils ont vite fait de rallier à leur mode de vie fantaisiste les habitants et les gouvernants de l'endroit. En plus d'être logés gratuitement à l'auberge, ils se lient d'amitié avec le bouffon de la Cour qui les introduit auprès du roi Arteur qu'ils séduisent par leur bagout et leurs discours savants. Ce roi faible et inculte, dominé par son conseiller Rembrondte, n'a d'idée précise sur rien, sinon qu'un royaume est fait pour durer et que le pouvoir s'affirme par les armes et se régénère par la fête.

Les saltimbanques le prendront par ses points faibles. Tout change dans le royaume dès l'instant où les nouveaux venus prennent en main les célébrations importantes, en particulier la Fête de l'Âge de Raison célébrée par la Cour tous les cinq ans. Le conseiller Rembrondte brandit la menace de mesures de guerre et de peine de mort contre les instigateurs de désordre, mais cette prévention militariste est vite balayée par des aventures loufoques et des retournements imprévus. Ainsi, le roi déguisé en bouffon reçoit deux cents coups de bâton sur

8

la place publique. Et sa fille, qui tient à ce qu'on l'appelle
« le prince Smine », quitte son palais, s'installe dans l'est
de la ville où elle écrit de la poésie, et chante sous les
ponts pour les mendiants, de connivence avec les sorcières, dans l'espoir d'être aimée du public.

La réputation de Smine grandit. On finit bientôt par
l'aduler, et elle détrône le chef des saltimbanques qui lui
a déjà fait l'affront de douter de son talent d'écrivain. Son
plus grand plaisir reste néanmoins d'inventer « ces histoires folles qui lui venaient tout à coup à l'esprit. Elle
avait l'impression de s'enfoncer le long de la rue, non pas
de sa propre ville, mais d'un pays nouveau » (p. 210).
Smine ne connaît néanmoins un tel succès qu'après s'être
alliée aux classes populaires de la ville. La narratrice est
d'avis que le peuple décide des modes et des nouvelles
formes de pensée, alors que « les Cours des royaumes
n'inventent jamais rien ». Elle croit également que la civilisation marchande, prompte à récupérer tout mouvement social, sait en tirer profit : « les commerçants, inspirés par ce qu'ils avaient vu et entendu dans l'est, se servaient du style des mendiants pour vendre leurs produits,
et cela marchait très bien » (p. 248).

Néanmoins, classer *La ville aux gueux* dans les
récits de contestation serait détourner le livre de son propos. Certes, les sorcières et les sages-femmes qui règnent
sur le bas peuple de Varthal paraissent exercer un certain
pouvoir. Tout particulièrement une certaine Béatrice que
l'on nous montre tantôt vieille, tantôt enfant, sorte d'âme
errante qui traverse le temps, agissante mais non recon-
nue, dont l'influence apporte, selon les légendes qui en
propagent la mémoire, protection ou inquiétude aux habitants des lieux.

L'esprit inventif de ces femmes est loué dans le récit,

et il l'est tout autant chez la fille du roi qui revendique à un moment le statut de « féministe ». Le mot était dans l'air lorsque le livre a été rédigé, mais l'on sent bien que là n'est pas la force du récit. Si l'auteur a publié ses trois premiers livres aux Éditions de la Pleine Lune, c'est peut-être d'abord que cette jeune maison d'édition, fondée par Marie-Madeleine Raoult, a lancé un certain nombre d'auteurs que n'effrayaient pas les audaces de langage et de pensée.

Cela n'empêche pas la parodie d'être présente dans *La ville aux gueux*, où l'on se moque allégrement du pédantisme, des technocrates de la culture, des chapelles d'initiés où se fabriquent les cultes et les codes à la mode. En prêtant l'oreille au séminaire d'Holintrik où l'on croise Duncan Hines, Monsieur Nestley, Monsieur Planters, Monsieur Kellogg, et où l'on a inscrit au programme des « stages d'insécurité » pour pallier les complaisances d'une éducation trop facile, j'ai reconnu le ton des séminaires popularisés par nos voisins du Sud. Vous connaissez ? L'on y enseigne en dix leçons, sur fond de psychanalyse freudienne, de pédagogie bon enfant et de pragmatisme effréné, l'art de la vente, du *do it yourself* ou du *become what you look*.

Dans ce cas-ci, l'enfant est la petite Béatrice. Cela donne des dialogues du genre : « — Béatrice, est-ce que tu veux du jus d'orange, dit Monsieur Kellogg, ou bien du café ? — Je veux du café, dit Béatrice avec un petit sourire à Monsieur Kellogg. — Quelle horreur ! dit un des jardiniers (…) Si vous donnez du café à Béatrice, je fais la grève, je ne travaille plus de la journée. » (p. 149) Pauline Harvey allait-elle saisir l'occasion de parodier ces grèves interminables déclenchées pour un oui, pour un non ? Et condamnerait-elle le fascisme larvé de Monsieur

Kellogg, dont le nom est parfois suivi des initiales S.S. ?
Rien de moins sûr.

Avec Pauline Harvey, on n'est sûr de rien, si ce
n'est qu'elle aime jouer avec les mots. Peu encline à s'inquiéter des contradictions ou des contresens qui peuvent
en découler, elle lance, pousse, écarte ou écoute une scène
selon son bon plaisir. Pourquoi un récit qui n'emprunte
apparemment pas plus au symbolisme qu'au réalisme
devrait-il s'encombrer des règles de la vraisemblance ?
À l'âge des grandes épidémies de peste, nos trois saltimbanques portent des noms de femme, et la fille du roi, qui
doit avoir fréquenté la même école que Michel Rivard,
reçoit un train électrique en guise d'étrenne, quand l'élec-
tricité et le chemin de fer n'existaient pas encore. De la
même façon, on trouve à Varthal un pub et un marchand
de crème glacée. Et, bien avant que le calcium ne figure
au menu des diètes équilibrées, le roi se fait conseiller par
l'un des trois clowns : « Vous avez besoin de calcium
pour chasser. Prenez du calcium trois fois par jour et vous
aurez un meilleur poil et une meilleure dentition. » (p. 72)

La ville aux gueux, parfois proche du conte philoso-
phique en autant que l'on ne s'évertue pas à lui donner une trop grande cohérence, est signé par une jeune
femme qui a donné des spectacles de poésie sonore. De
la poésie rock qui s'inscrivait dans une expérience de
marginalité et traduisait, tout comme ce récit fou, l'amour
de la scène et du théâtre, la chaleur du corps à corps, la
fantaisie d'un monde funambulesque. Avec ce roman,
Pauline Harvey ne s'éloigne jamais beaucoup du théâtre.
Souvent, il suffirait de mettre les dialogues du récit
dans la bouche des comédiens, d'utiliser les descriptions
comme indications scéniques, et le tout fonctionnerait
parfaitement.

Ce texte drôle et enlevant, où l'action et le rythme ne fléchissent jamais, dégage beaucoup de finesse et de fraîcheur. La langue de Pauline Harvey, précise et efficace, possède une qualité rare : la simplicité. Et l'on peut en dire autant des situations présentées. Rien de misérabiliste. Pas de jérémiades, pas de revendications gauchistes ni de petit pain noir sous le bras, mais une perpétuelle explosion de mots. Ça passe par les conteurs du Moyen Âge et de la Renaissance, par certains côtés de Réjean Ducharme et d'Yves Beauchemin. Et pourtant, c'est personnel, recommandable, même en période narcissique où tout le monde a mal à son égo.

Seuls les acteurs sont vrais, sous-entend l'auteur de *La ville aux gueux*, parce qu'ils se savent en train de jouer. La narratrice succombe elle-même à la tentation du jeu. Dans une narration faite à la troisième personne, elle insinue, comme si elle faisait partie de l'action décrite : « On allait dans son salon, ou dans sa cuisine, ou sur la galerie, ou n'importe où, où vouliez-vous qu'on aille ? » (p. 246) Ce *on* et ce *où vouliez-vous qu'on aille ?*, des plus familiers, montrent que Pauline Harvey n'est pas dupe. L'auteur sait qu'elle raconte une histoire qu'elle peut suspendre ou continuer à sa guise. Le rappel d'une situation antérieure, où se conjuguent le *on* et le *il* — « alors qu'il était dans cette chambre de l'auberge qu'on a déjà visitée » —, remplit une fonction similaire.

Est-ce cette instance théâtrale créée par l'auteur, ou le fonctionnement narratif lui-même, qui nous empêche de nous identifier aux personnages ? Dans *La ville aux gueux*, ou même dans les romans ultérieurs qui mettront en scène des adolescents déroutés et des jeunes gens remuants, remplis d'insouciance ou d'ennui, qui vivent leurs amours, leurs voyages et leur désœuvrement comme une partie de canasta, on ne ressentira jamais de peur, d'angoisse ou de compassion pour aucun d'entre eux. L'humour appliqué aux personnages, qui n'en favorise guère l'intériorisation, contribue certainement aussi à l'effet de distance ressenti. « Est-ce que tu aimerais vivre avec moi ? » demande Lily à Comédie. « — Non, dit Comédie, j'ai bien assez de m'occuper de moi-même. » (p. 86) Ailleurs, Smine suggère : « Pendant qu'on tient une bonne idée, épuisons-la avant qu'elle nous ait épuisée. » (p. 99) Et Monsieur Kellogg, qui ne pèche pourtant pas par excès de subtilité, a un jour cette repartie : « Elle croit qu'on va de mieux en mieux, au fur et à mesure qu'on vieillit. (…) Je ne sais où elle a pris cette idée saugrenue mais on ne peut pas la lui enlever de la tête. » (p. 236)

La ville aux gueux, comme les autres livres de Pauline Harvey, ne raconte pas d'histoire à proprement parler, mais accumule plutôt des épisodes qui vont dans tous les sens, permettant à la narration de repartir n'importe où et avec n'importe quoi. On ne s'attarde pas non plus à approfondir ce qui pourrait être perçu comme un drame, un échec, un vide, une perte affective. Toute la puissance d'évocation repose sur une légèreté de pensée qui ne s'appesantit jamais sur le mal de vivre. La sonorité de la langue, le mouvement, le flou des situations et la surabondance des épisodes intéressent davantage l'auteur qu'une structure romanesque rigoureuse.

Quelques années après la sortie de La ville aux gueux, accordant une entrevue à propos d'un autre livre, l'auteur semble expliquer ses choix esthétiques : « Les gens sont des enfants, bons au fond, un peu perdus. En écrivant, il faut les amuser, les faire penser, les faire rêver. Ils réclament quelque chose de magique. Il faudrait écouter les écrivains comme on écoute les oiseaux. Si on aime, ça va ; si on n'aime pas, on laisse tomber[1]. »

Il se pourrait que l'argument principal soit donné au dénouement de *La ville aux gueux*. Le récit se termine sur une pirouette, dans un grand éclat de rire du bouffon du roi. De leur côté, les saltimbanques, et Smine devenue presque sorcière, quittent Varthal pour aller s'amuser ailleurs. « Nous ne voulions rien », dit-elle. « Rien que nous amuser et courir la ville et nous l'avons fait. » (p. 254)

Ce besoin de mouvement perpétuel, sensible dans chaque roman de Pauline Harvey et chez plusieurs auteurs de sa génération, pousse les clowns à filer ailleurs où ils feront un beau tumulte. Car ce sont des mutants qui accordent davantage de prix à ce qu'ils cherchent — s'amuser, se distraire — qu'à ce qu'ils trouvent. Le rire du bouffon, qui se répercute dans d'autres romans, c'est un mélange de candeur enfantine et de rouerie adulte. L'art du compromis, devenu *commedia dell'arte*, s'affirmant comme la contrepartie de l'hypocrisie, des conventions, des privilèges, ou même de la tristesse. Dans *La ville aux gueux*, ne dit-on pas des divertissements offerts à la population qu'ils « sont des itinéraires, plus que des moralités » ?

Ces itinéraires sont un hymne à la liberté, à l'imprévu et à la fantaisie. Ils dénoncent toute stagnation, tout conformisme d'avant-garde ou d'arrière-garde chez les détenteurs de la parole ou du pouvoir. Célébrant l'imaginaire, la fête — et peut-être aussi bien la fuite —, ils n'hésitent pas à proposer l'utopie comme programme de vie. L'entreprise n'est possible que par un certain

---

1. *La Presse*, 19 octobre 1985, p. D3.

dépouillement, par l'abandon des masques protecteurs et d'une certaine rationalité. « Ces déviants conçoivent des projets qui peuvent égarer nos esprits logiques », s'inquiète le conseiller du roi à propos du vent de liberté qui souffle désormais sur la ville. Mais une certaine folie, susceptible de colorer l'existence, est considérée par la narratrice comme « la bénédiction de l'esprit créateur ».

Ce parti pris du plaisir, le seul peut-être auquel tient Pauline Harvey, paraît s'appliquer également à son travail. « Ils me font beaucoup rire, mes personnages, quand je les écris, dit-elle dans une autre entrevue. Ils ont des comportements étrangers mais réels. Ils sont à la fois comiques et singuliers. » Elle ajoute : « Peut-être que la seule responsabilité de l'écrivain serait de produire un effet de bonheur, un effet de plaisir. Pour améliorer la qualité de la vie[2]. »

Ainsi donc, derrière l'amoncellement de phrases qui défilent dans une entrevue ou une conversation — dont elle semble parfois s'absenter —, il y aurait, tout comme dans ses récits et ses romans où l'on ne creuse jamais les zones sombres de l'existence, le besoin irrépressible de préserver un effet de bonheur. Un effet de plaisir qui empêcherait la vie de faire mal ou d'inquiéter, ce qui peut être opportun en temps de crise.

Madeleine Ouellette-Michalska

---

2. *Le Devoir*, 8 juin 1985.

Chapitre I

Varthal la Désirée

Trois pèlerins vêtus de haillons pesants s'en venaient d'une démarche claudicante sur une route enneigée du pays de Fhartag.

— Croyez-vous qu'on va arriver à temps pour les vêpres ? dit le plus grand, qui boitait un peu et s'appuyait sur une longue canne noueuse.

On était à la fin de la Renaissance sur cette route de Fhartag qui menait à la ville de Varthal, et c'était important d'arriver pour les vêpres, qui annonçaient la première heure du soir. Ensuite la population de la ville s'enfermait, tout le monde allait se coucher, et on ne trouvait plus même un chat ou un chien, plus même un cheval dans les rues froides. Et quand on est sans abri, que c'est l'hiver et qu'on court les routes, c'est toujours un tel ennui d'arriver passé les vêpres.

Le petit gros qui était un peu bossu et qui s'appelait Lyly se plaignit pour la centième fois, d'une voix grasse et nasale, qu'il avait froid aux pieds parce que ses bottes prenaient l'eau et qu'il voulait se coucher dans la neige et mourir.

— Voyons, Lyly, dit le grand boiteux, qui répondait au nom de Cécil, encore un effort, gros porc, on y arrive.

— Quel paresseux, quel boulet, ce Lyly, je m'en souviendrai, dit celui qui n'avait pas encore parlé.

Celui-là s'appelait Martine Rozie, mais tout le monde l'appelait simplement Rozie, et c'était le plus gentil et celui qui parlait le moins souvent. Il était un peu aveugle, il avait perdu un œil lors d'une récente guerre, et la vision de son autre œil avait tellement baissé qu'on pouvait affirmer sans crainte de se tromper qu'il était presque aveugle, puisqu'il n'y voyait presque plus rien. Cécil dit qu'il commençait à voir les lumières de la ville au loin et Rozie ne les voyait pas du tout.

— On va rester ou on ne va pas y rester, dit le presque bossu, dans cette ville de Varthal que tu nous as présentée comme un véritable paradis, mon cher Cécil, on va-tu s'installer une fois pour toutes, ou bien c'est encore une chimère que tu nous as rêvassée ?

— Tu verras qu'on sera encore à marcher dans trois pieds de neige après Noël, dit Rozie, tu verras qu'après Varthal il faudra aller à Parenthal, parce qu'il y aura du travail à Parenthal, sur une nouvelle idée de Cécil.

— Je vous le dis, je connais cette ville comme ma poche, tellement on m'en a parlé, dit Cécil. En un rien de temps, on sera installés comme des pachas, faites-moi confiance.

On avait traversé un grand et très beau pont très ouvragé franchissant un fleuve gelé, et maintenant on passait devant les premières maisons. Les gens avaient l'air de se dépêcher pour aller assister aux vêpres et couraient un peu partout autour des voyageurs. Un gros marchand, accompagné de sa femme et de sa fille, passant près d'eux, les considéra un instant et dit très fort :

— Regarde les stropiats qui viennent réveillonner à Varthal. Pour moi, c'est des rois mages qui ont vu une étoile briller au-dessus de notre église. Et sa femme éclata d'un grand roucoulement de gorge.

— C'est charmant ! dit Rozie. Paradisiaque ! Je vois qu'on fera rapidement fortune dans cette fabuleuse Varthal.

— Des stropiats ! dit Lyly. Il ne m'a pas regardé ! Si je ne suis pas la personne la plus mignonne d'ici à…

— D'ici à Partenthal, où on sera bientôt, dit Rozie.

— C'est vrai que tu es une bien belle personne, dit Cécil, et que tu n'as pas grand-chose d'estropié. Laisse parler ce banlieusard, il ne comprend rien à l'art. Nous serons bientôt au cœur de la ville, où nous rencontrerons ces vrais artistes qui sauront apprécier nos singularités.

— Et maintenant, qu'est-ce qu'on fait ? dit le gros Lyly. Une fois qu'on n'est pas morts sur la route et qu'on s'est rendus jusqu'à Varthal, est-ce qu'on va dormir un peu ?

— On va dormir très bientôt, assura Cécil.

Ils étaient arrivés dans les rues très illuminées et bruyantes du centre-ville. À deux pas de l'église, ils bifurquèrent, à la suite de Cécil, dans une ruelle sombre et encombrée de poubelles et de débris de charrettes et d'outils agraires.

— C'est un cimetière de voitures, fit remarquer Lyly.

Puis ils s'arrêtèrent devant une bicoque un peu effondrée dont la porte et les fenêtres avaient été condamnées. Sur les planches qui muraient la porte, quelqu'un avait écrit : *Adieu, ma rue, je t'aime.*

— Qu'est-ce que c'est que ça ? dit Lyly.

— Ce sont des maisons de la basse-ville qui doivent tomber sous le pic du démolisseur, expliqua Cécil. On va les remplacer par des grands bâtiments plus modernes. Il y a des groupes populaires qui s'opposent à cette décision de la ville, et voilà pourquoi ils ont écrit sur la porte : *Adieu, ma rue, je t'aime.*

Ils arrachèrent quelques planches à une fenêtre qui avait perdu ses carreaux et entrèrent. Ils se couchèrent sur le sol froid, enroulés dans leurs longs manteaux et, serrés les uns contre les autres, s'endormirent rapidement.

*

* *

Le Roi de Varthal, le Roi Arteur, vivait au centre-ville, l'hiver, dans une grande maison qu'il avait près de l'église, parce qu'il s'ennuyait dans son château en banlieue. On ne pouvait pas dire que c'était un mauvais Roi, ni même que c'était un bon Roi, il avait son caractère comme tout le monde, mais dans cette région paisible et prospère, abritée des grandes querelles du siècle, qu'était le pays de Fhartag, le Roi faisait ses affaires et menait sa vie sans déranger grand monde, sans déranger personne. Il avait une fille très intéressante, qui s'appelait Smine, nous devrions donc parler de la Princesse Smine, mais elle détestait qu'on l'appelle « Princesse », elle disait qu'elle était un Prince et elle voulait que tout le monde dise « le Prince Smine ». C'était l'enfant unique du Roi et on lui passait ce caprice féministe. Mais à part qu'elle s'appelait le Prince Smine, elle était parfaitement charmante et jolie, s'habillait toujours de belles toilettes et soignait beaucoup son apparence. Elle avait aussi une copine, aussi féministe qu'elle, la Comtesse d'Alpenstock, un peu plus âgée, qui était une personne érudite, extrêmement érudite, c'est ainsi que nous définirons succinctement la Comtesse d'Alpenstock, et c'est bien la meilleure définition qu'on puisse en donner.

Toutes ces choses, le gros Lyly les savait quand il s'éveilla dans la maison abandonnée, à côté de Cécil et

Rozie. Ceux-là dormaient encore, peu soucieux de ce qui allait leur arriver, en ces jours de la veille de Noël, dans Varthal la Capricieuse, Varthal la Désirée, le Rêve de Cécil. Mais Lyly étant le plus tire-au-flanc des trois, fatigué de marcher sur les routes dans des conditions misérables, effrayé à l'idée qu'ils allaient peut-être le lendemain abandonner ce projet de s'établir à Varthal et partir pour Partenthal, Lyly dans son inquiétude ne s'endormait plus du tout et décida de se mettre immédiatement au travail. « Ce n'est pas vrai que je vais mourir de faim et de froid sur une route, ce n'est pas vrai, pensait-il. Aussi sûrement que je m'appelle Lyly, cette ville m'abritera et me fera manger, dussé-je y mettre le feu, dussé-je y lever une armée ou je ne sais quoi. »

On pourrait raconter les aventures de Lyly et de ses amis avant qu'ils n'arrivent à Varthal, dire les famines qu'ils avaient connues au fond de leurs campagnes dans un autre pays, et comment ils étaient partis sur la route en paladins, en quête de nourriture plus que d'aventures, fuyant la misère et la peste, on pourrait raconter tout ça, mais ça n'est pas notre propos ici. Voilà qu'ils étaient enfin arrivés dans Varthal la Prospère, au terme d'une longue errance, et c'est à ce moment que nous choisirons de commencer notre récit.

Ainsi donc Lyly se promenait dans les rues commerçantes de la ville. Il ne faisait plus très froid, ces maisons serrées les unes contre les autres le long de rues étroites suffisant à protéger les citoyens des rigueurs de l'hiver, il ne faisait pas froid, et le soleil matinal qui éclairait les façades des maisons et les étalages des marchands réchauffait le cœur de Lyly.

— Je suis dégoûtant, se disait-il, je ne saurais me présenter ainsi nulle part. On va me renvoyer avec des coups de bottes au cul. Je devrais me trouver un manteau convenable.

Il avisa une enseigne indiquant l'entrée d'une taverne et s'y engouffra. La pénombre de la grande salle le surprit après la rue lumineuse et il eut d'abord du mal à trouver une table où s'asseoir. La taverne était déjà pleine à cette heure matinale, des buveurs joyeux assis en bandes un peu partout riaient et plaisantaient à voix haute. Dans un coin, un groupe de vauriens déjà passablement éméchés s'interpellaient d'une voix égrillarde et Lyly se dirigea vers eux.

— Qu'est-ce qu'il veut, le gueux ? dit un grand bonhomme aux joues rouges en le voyant s'avancer vers lui.

— Vous auriez bien un pichet de bière et un morceau de pain pour moi ? dit Lyly. J'arrive hier de Spenntel-Hoguel, à cinquante lieues d'ici, et je n'ai rien mangé depuis deux jours.

— Spenntel-Hoguel, dit le bonhomme, où est-ce que c'est ça, Spenntel-Hoguel ?

— Spenntel-Hoguel, c'est dans la rue d'à côté, dit un autre qui avait les joues aussi rouges que le premier et le nez aussi rouge que les joues. Le drôle essaie de nous extorquer nos argents dûment gagnés quand il aura été chassé par quelque bourgeois qui ne voulait plus de sa puanteur.

— Assis-toi, dit celui à qui s'était d'abord adressé Lyly.

Il l'avait saisi à bras-le-corps et tiré vers lui sur le banc de bois. Je veux entendre parler de Spenntel-Hoguel. Dis-moi, est-ce qu'on trouve du travail dans ce coin-là ?

— À Spenntel-Hoguel on raconte qu'il y a du travail à Varthal, dit Lyly après avoir sauté sur un gros morceau de pain qui traînait sur la table. C'est un tout petit bourg et les gens de là-bas m'ont dit qu'il fallait venir ici pour travailler.

Toute la table, composée d'une dizaine de joufflus, avait éclaté de rire.

— Voilà qu'ils viennent à Varthal pour travailler, dit l'un deux. C'est-tu pas rendu qu'on a tant d'emplois à Varthal qu'on va s'en faire une réputation dans tout le continent.

— Qu'est-ce que tu sais faire, mon gros ? dit le grand qui était à côté de lui.

— N'importe quoi, dit Lyly, bouffon, histrion, funambule, saltimbanque, je fais n'importe quoi.

La table éclata de rire à nouveau.

— C'est ça que tu appelles n'importe quoi ? dit l'autre, le même, que Lyly commençait à trouver presque sympathique. J'ai l'impression que tu vas faire fortune avec ça. Tu devrais aller voir le Bouffon du Prince, ce cher Enguerrand tellement comique, mon avis qu'il va t'embaucher immédiatement, beau comme tu es là.

Mais Lyly buvait maintenant sa bière et il se moquait bien des rires.

— Comment est-il, cet Enguerrand ? demanda-t-il à son nouveau compagnon.

— Le Fou, dit l'autre, alors que les buveurs finissaient par oublier Lyly et se replongeaient au fond de leur pichet et de leurs petites conversations, le Fou Enguerrand est le chouchou du Prince Smine. Il sait faire n'importe quoi lui aussi, comme tu dis, histrion, funambule, et c'est la plus belle petite frappe qu'on trouve dans cette région. N'essaie pas d'aller voir le Bouffon, il te mettrait à la porte de peur que tu ne lui fasses concurrence avec toutes tes spécialités. D'ailleurs c'est un monstre de snobisme, il ne te recevrait même pas.

— C'est bien pourtant celui que je devrais rencontrer, dit Lyly. Est-ce qu'il a une compagnie ?

— Non, dit l'autre, ce n'est pas lui qui s'occupe de la compagnie des comédiens. Il supervise, simplement. C'est Chazel, le directeur du théâtre, qui s'occupe des comédiens.

— Et comment vivent-ils, ces comédiens ?

— Oh, ce sont de pauvres diables qui font n'importe quoi dans les foires pour une bouchée de pain. Des ambulants, qui n'amusent plus que les enfants, et qui ont plus de succès dans les campagnes, où ils vont de temps en temps, qu'ici, où n'importe qui est capable à peu près de faire la même chose qu'eux. C'est un triste métier que celui de comédien par les temps qui courent.

— Et dis-moi, Chazel, le directeur du théâtre, quel genre d'homme est-il ? Est-ce qu'il s'occupe uniquement des comédiens ?

— Non. Chazel a plusieurs emplois qui vont de l'embauche des comédiens à l'organisation et à la mise en scène des spectacles et des réjouissances. Je ne suis pas sûr qu'il ne s'occupe pas même des musiciens.

— Et c'est un ami du Fou Enguerrand ?

— Oui, c'est un copain du Bouffon.

— Est-ce que c'est facile de rencontrer Chazel, est-ce qu'on le trouve facilement ou c'est la même chose que pour Enguerrand ?

— Tu veux travailler comme comédien ? Je te le dis, c'est un métier de misère.

— Ne t'occupe pas de ça, dit Lyly qui commençait à devenir familier. Je veux savoir si c'est possible de contacter le directeur du théâtre.

— Le théâtre des Deux Lanternes est à deux rues d'ici, de l'autre côté de l'église. Tu trouverais sûrement

Chazel aux alentours, soit dans sa boutique au deuxième étage de l'immeuble, soit sur la place, à discuter avec ses amis.

— Qu'est-ce qu'il a comme boutique ?

— Il vend des jeux et des divertissements pour adultes. Mais il va te recevoir, sois-en sûr. Si tu es prêt à t'esquinter toute la journée et toute une semaine de 80 heures pour deux sous et si tu sais marcher sur une corde, tu n'auras pas de problème à rencontrer Chazel.

— Est-ce que Chazel a le seul théâtre qui existe dans cette ville ?

— Où te crois-tu ? dit le bonhomme. À Spenntel-Hoguel ? Il y a encore deux autres théâtres ici, celui de la place d'Urh au nord, et un théâtre à la sortie sud de la ville. Sans compter ceux que je ne connaîtrais pas.

— Et c'est Chazel qui dirige tout ça ?

— Mais non, dit le bonhomme, qui commençait d'être ennuyé par cet interrogatoire. Chazel n'a à voir qu'avec ce qui se passe aux Deux Lanternes. Mais c'est le théâtre de loin le plus important et le plus subventionné, puisque Chazel est un ami du Bouffon.

Lyly s'avisa qu'il n'avait plus grand-chose à apprendre de cet homme. Dans sa bande, un homme âgé, assis au bout de la longue table, s'était endormi, gorgé d'alcool, et il vit qu'il avait laissé sa cape sur une chaise. En s'en allant, Lyly s'en saisit sans que personne s'en aperçoive.

Dehors, il jeta son vieux manteau en loques dans une poubelle et se vêtit de la longue cape noire qu'il venait de voler. « Je serai à tout prendre un respectable voyageur qui aura eu des déboires », se dit-il, et il se dirigea vers le théâtre des Deux Lanternes. Aux abords de la rue des Deux Lanternes, qui abritait les bureaux du théâtre du même nom, il entra dans une de ces échoppes de barbier qu'on trouvait fréquemment dans ces rues populeuses. Il demanda qu'on le rase et qu'on le coiffe, ce qui fut fait sans qu'il eût enlevé son nouveau manteau qui cachait ses vêtements crasseux. Au moment de payer, il dit qu'il avait laissé sa bourse à son cocher et s'enfuit ainsi, sans autre forme de procès.

Quand il vit la pancarte qui annonçait le magasin de Chazel, il s'arrêta un instant pour réfléchir à ce qu'il allait faire, puis frappa trois gros coups décidés à la porte. L'homme qui vint lui ouvrir était bossu, vraiment bossu celui-là, déformé et tordu, et il regardait le dos de Lyly avec une drôle de curiosité compatissante.

— Qu'est-ce que ça sera pour Monsieur ? demanda-t-il après un moment.

— Si vous vouliez dire à Monsieur Chazel que je suis Lyly, écuyer du Sieur Cécil de Spenntel-Hoguel, et que je voudrais lui demander un entretien, dit Lyly avec hauteur.

Le vrai bossu eut un long regard incrédule sur la personne débraillée de Lyly et ferma la porte. Il revint quelques minutes plus tard et demanda :

— Où c'est ça, Spenntel-Hoguel ? Monsieur Chazel veut savoir d'où vous venez exactement.

— Mais c'est une grande ville du Danemark, mon cher ami, dit Lyly sur le même ton dédaigneux. Ça m'étonne que vous ne connaissiez pas Spenntel-Hoguel. Dites à Monsieur Chazel que nous avons traversé dix pays et que nous désirons le rencontrer.

Il fut introduit finalement. Chazel était assis au fond de sa boutique et levait vers lui un long et froid regard d'apothicaire, en se frottant les mains.

— Qu'est-ce qui me vaut l'honneur de votre visite, Monsieur ? dit-il en lui désignant un siège.

Bien drapé dans son manteau, Lyly s'assit posément dans le fauteuil et observa une minute de silence.

— Je dois, dit-il enfin, je dois d'abord m'excuser, Monsieur, pour la pauvreté de ma mine. Comme j'ai expliqué à votre serviteur, nous avons fait un long voyage, venant de Spenntel-Hoguel, et nous avons malheureusement été pillés par des brigands peu avant d'arriver à Varthal. C'est pourquoi vous me voyez dans cet accoutrement un peu négligé. On vous aura dit sans doute également que je viens de la part du Sieur Cécil. Je suppose que vous connaissez déjà le Sieur Cécil ?

— Le Sieur Cécil ? dit Chazel qui avait l'air de chercher ce nom dans sa mémoire.

— Cécil de Spenntel-Hoguel et de Rodenbrandt, précisa Lyly. Il lui semblait qu'il lui valait mieux inventer plutôt deux noms qu'un seul, tellement le directeur était distant et peu engageant.

— Oui ? dit Chazel, qui avait l'air de s'être adouci un peu. Oui ? Alors, le Sieur de Spenntel-Hoguel ?

— Le Sieur Cécil est un savant, dit Lyly très vite, c'est un homme instruit qui voyage pour son plaisir, et il m'a envoyé prendre quelques renseignements au sujet des activités culturelles de votre théâtre.

— Ah, c'est un savant, dit Chazel qui se réchauffait de plus en plus.

— Très certainement, dit Lyly, que les bonnes dispositions de Chazel avaient mis à l'aise. C'est un humaniste, un très grand humaniste, comme on en fait très peu. Évidemment, il est surtout spécialisé dans l'histoire et les écritures du Danemark et surtout de Spenntel-Hoguel et de ses dépendances qui, ainsi que vous le savez sans doute, sont extrêmement riches en phénomènes artistiques, mais c'est également un grand artiste et un homme de pointe de notre époque, cela je crois que c'est reconnu dans de nombreux pays. Nous sommes passés par l'Italie avant de venir ici et...

— Ah, c'est très intéressant ce que vous me dites là, si vous êtes passés par l'Italie. Tout le monde veut savoir ce qu'il y a en Italie de nos jours.

— Soyez sûr que nous avons visité l'Italie de fond en comble, dit Lyly. Monsieur Cécil ne voulait plus quitter l'Italie que nous ayons absolument tout vu. Y a-t-il dans cette ville des personnes avec lesquelles nous pourrions nous entretenir avec profit de l'Italie ? Je suppose que Varthal ne manque pas d'érudits et d'âmes sages que la science intéresse. Je vous avouerai que c'est là notre espoir.

— Si vous arrivez d'Italie, vous devriez rencontrer la Comtesse d'Alpenstock, dit Chazel. Je ne la connais malheureusement pas personnellement, mais je sais qu'elle raffole de l'Italie, c'est une italianisante. Pour cela, il faudrait que vous voyiez le Bouffon Enguerrand. Je pourrais vous ménager une entrevue avec Enguerrand, si cela vous intéresse. C'est un de mes amis.

— Mais certainement, dit Lyly, nous serons très heureux de rencontrer ce Monsieur. Et ménagez-nous, ménagez-nous cette entrevue, s'il vous plaît. Je repasserai demain pour voir ce que vous aurez ménagé. Mais pour en revenir à ce qui m'amène réellement ici... Monsieur Cécil est un fanatique du théâtre. Le théâtre est extrêmement développé à Spenntel-Hoguel, où nous avons de nombreuses troupes entretenues par le Roi du Danemark lui-même, et Monsieur Cécil n'a pas dédaigné d'écrire quelques drames pour les théâtres danois, avant que nous entreprenions ce voyage. Nous avons l'intention de nous installer à Varthal dans le but de nous reposer et Monsieur

Cécil se demandait s'il n'allait pas pouvoir s'adonner de nouveau à sa chère passion dans cette ville agréable. Croyez-vous qu'il vous serait possible de monter quelque petit drame de mon maître dans votre théâtre ? Mais peut-être que vous ne faites pas de théâtre d'auteur ?

— Vous direz à Monsieur Cécil de venir me voir, dit Chazel. Si ses pièces sont agréables et un peu italiennes, comme c'est le goût du jour, on se fera un plaisir de les monter, n'en doutez pas. Le bon théâtre est toujours rare, et un drame un peu bien écrit est encore un luxe à Varthal, où nous avons surtout des numéros d'histrions. Voilà la situation, mon cher Monsieur. Dites au Sieur Cécil de passer ici n'importe quand, et je l'instruirai de ce que je peux faire pour lui. Mais dites-moi, vous avez été volés, comment vous débrouillez-vous depuis votre arrivée ?

— Nous avons envoyé un courrier chercher des lettres de créance à Spenntel-Hoguel, dit Lyly. D'ici là, nous nous arrangeons avec le peu que les brigands nous ont laissé. Le Sieur Cécil est trop grand homme pour s'embarrasser de faire le délicat, et il a accepté de gaieté de cœur de vivre modestement pendant quelque temps. Ne vous en faites pas pour nous, ça ne sera qu'une petite expérience enrichissante. Nous sommes logés chez de pauvres aubergistes qui ont accepté de nous faire crédit.

— Où ça ? demanda Chazel.

— Euh… Le Poisson d'Or, dit Lyly. C'est une toute petite auberge minable en banlieue. Vous ne devez pas la connaître, c'est dans une ruelle. Ça nous a été indiqué par une vieille fermière à l'entrée de la ville. Mais peut-être connaissez-vous une auberge mieux située qui accepterait de nous prendre ?

— Allez plutôt au Cheval-qui-rit, dit Chazel, c'est à deux pas d'ici et sans doute beaucoup plus propre et confortable. Si vous y allez de ma part et que vous expliquez votre situation, les aubergistes, qui me connaissent, vont vous recevoir à bras ouverts, et vous faire crédit d'ici à ce que vous receviez votre argent.

— Ça risque d'être long, dit Lyly. On est en plein hiver, et Spenntel-Hoguel est diablement loin d'ici.

— Ils attendront, ils attendront, dit Chazel. Ils peuvent attendre. Ces aubergistes sont fort riches et seront trop contents de vous compter parmi leurs clients.

— Je dois me retirer parce que j'ai de nombreuses autres courses à faire, dit Lyly. Vous devez comprendre que mon principal souci n'est pas le théâtre actuellement, et que j'ai toutes sortes de préoccupations d'ordre plus matériel. Il a fallu la folie de Monsieur Cécil pour que je vienne vous voir dès aujourd'hui.

Il prit congé de Chazel, assura qu'il repasserait le lendemain se renseigner au sujet de l'entrevue avec le Bouffon, et s'en fut en courant et riant tout seul par les rues de la ville jusqu'à la petite ruelle où il avait laissé Cécil et Rozie.

*
* *

Rozie s'était réveillé peu après le départ de Lyly, avait étiré tous ses membres, comme il se doit, et avait ensuite secoué son compagnon Cécil pour qu'il se lève et lui explique ce qu'il avait à faire. En effet, Rozie, bon enfant et naïf, prenait peu d'initiatives par lui-même et s'en remettait en général aux jugements et aux propositions du grand Cécil.

— Cécil, réveille-toi, je t'en supplie, dit-il, le soleil est déjà haut et je ne sais plus où on est.

Cécil bougonna que la première chose à faire quand on arrivait dans une nouvelle ville était de s'accorder une bonne nuit de sommeil, puis, parce que Rozie insistait, il se leva soudainement et fit sur-le-champ quelques exercices musculaires.

— Voilà un homme en forme, dit-il, voilà quelqu'un qui ne craint pas l'inconnu.

Ils sortirent en plein air et s'assirent sur le pas de la porte.

— S'il te faut agir, Rozie, je vais t'employer tout de suite, dit Cécil après avoir réfléchi deux minutes. Tu vas immédiatement aller demander une entrevue au Bouffon du Prince Smine qui s'appelle Enguerrand. Tu te renseigneras en ville pour savoir où il habite. Tu lui raconteras que tu sais tout faire et qu'il doit t'embaucher dans sa troupe. Voilà, je crois, la première chose à faire. C'est Enguerrand qui, d'après ce qu'on m'a dit, s'occupe de tous les divertissements. Quand tu auras fait ça, tu viendras m'attendre ici.

— Et toi, qu'est-ce que tu feras ? demanda Rosie.

— Je vais réfléchir, dit Cécil. Je veux d'abord me promener un peu et prendre les coordonnées de cette ville, afin de savoir où je suis et comment je dois mener mes entreprises.

— Est-ce que je dois demander du travail pour nous trois ? dit Rozie.

— Commence par parler de toi seul et, si tu vois qu'il est bien intentionné, tu demanderas du travail pour nous aussi.

— Mais où est passé Lyly ?

— Il a dû aller chercher quelque chose à manger, dit Cécil. Tu connais Lyly. Il se passerait plus facilement de sommeil que de nourriture.

Rozie quitta la ruelle, content d'avoir reçu des instructions simples et précises. Cécil avait le tour pour prendre des décisions, pensait-il, et pour expliquer clairement ce qu'on devait faire. Il n'avait plus qu'à trouver Enguerrand. Pour ce faire, il se dirigea vers un marchand qui s'excitait et criait des prix derrière un étalage de fruits, vola une pomme et une poire qu'il fourra dans sa poche et, s'adressant à l'homme, lui demanda où se trouvait la maison du Bouffon Enguerrand. Le marchand lui indiqua une rue, d'abord vous tournez ici à droite, puis vous allez deux rues plus loin tourner à votre gauche, puis à votre droite encore, et puis c'est là, et Rozie n'avait plus qu'à s'y rendre. Dans la rue qu'on lui avait indiquée, il s'informa encore auprès d'une passante, tout le monde connaissait le Bouffon, tout allait très bien, et bientôt il n'eut plus qu'à mettre le doigt sur la sonnette d'une grande porte grillagée d'un enchevêtrement de bandes de cuivre, ce qu'il fit.

Une grosse dame âgée et sympathique qui se perdait dans ses jupes et ses jupons pesants vint lui ouvrir, et il lui dit qu'il désirait voir le Fou Enguerrand. La dame, après une brève inspection, lui répondit qu'Enguerrand ne voyait personne et Rozie se retrouva sur le trottoir, sa mission achevée.

Il s'assit sur le bord du trottoir et décida que ce qui lui arrivait nécessitait quelques minutes de réflexion. Était-ce bien une mission achevée ? Cécil avait dit qu'il devait trouver Enguerrand et lui parler, il n'avait jamais été question qu'il rencontre des difficultés dans la réalisation de cette entreprise. Et voilà maintenant qu'Enguerrand ne recevait personne et qu'il allait partir sans l'avoir vu. Ça n'était sûrement pas ce qu'avait demandé Cécil. De toute évidence, il fallait trouver un moyen de pénétrer dans cette maison.

Cela, c'était assez facile. Il sonna à nouveau et la grosse femme revint.

— Je vous ai déjà dit que Monsieur Enguerrand ne recevait personne, dit-elle rudement en apercevant Rozie.

— Ça n'est pas très important que le Bouffon me reçoive, dit Rozie. Si vous pouvez me voir vous-même quelques minutes, ça fera tout aussi bien mon affaire. J'arrive à l'instant de Styrrog où vous savez qu'il y a eu ces graves problèmes et l'évêque de Styrrog m'a chargé de venir à Varthal raconter à la population les événements de Styrrog. J'avais commission de parler au Bouffon, mais je pourrai vous donner tout aussi bien ces informations à vous-même et vous les communiquerez à Enguerrand, puisqu'il n'est pas visible.

— Exprimez-vous pour que je comprenne, dit la bonne femme. Qu'est-ce que c'est ça, Styrrog ? Qu'est-ce qui arrive à Styrrog ?

— Madame, j'ai un long exposé à vous faire, dit Rozie, et je ne peux pas rester ainsi sur le pas de la porte, ça m'empêche de m'exprimer posément. Vous comprendrez que je suis harassé, venant de si loin. Et nous avons vécu de telles incroyables choses à Styrrog dernièrement, tant miraculeuses et mystérieuses qu'horribles, un miracle et une horreur si grande, les deux en même temps, que j'en perds un peu l'esprit. Permettez-moi d'en finir au plus vite avec cette mission, que je puisse ensuite aller me reposer.

— Vous allez venir dans ma cuisine et me raconter les histoires de Styrrog, dit la bonne femme qui s'était soudainement décidée. Et je vous donnerai des biscuits à manger, si vous avez faim. Elle l'avait introduit dans la maison et ils longeaient un interminable corridor très large et décoré des portraits des bouffons qui avaient sans doute précédé Enguerrand. « Mais qu'est-ce qui est arrivé, pour l'amour, aux gens de Styrrog, que je doive communiquer au Roi ? »

— Vous vous contenterez de le dire au Bouffon, ça sera suffisant, dit Rozie. Il remarquait que toutes sortes de portes s'ouvraient sur ce couloir et demanda si le Bouffon vivait sur ce seul étage ou s'il possédait toute la maison.

— Il a toute la maison, bien sûr, dit la femme. Ici, ce sont ses bureaux et ses ateliers.

— Le jour, je suppose qu'il est dans ses ateliers, dit Rozie distraitement.

— Oui, le jour, il travaille ici, dit la bonne femme.

Au bout du couloir, ils avaient descendu un petit escalier qui menait aux cuisines. Elle installa Rozie sur un escabeau et se mit à pétrir ses pâtes. Il allait maintenant être obligé de trouver ce qui avait bien pu se passer à Styrrog. Il commença un récit enlevant, plein de diables et de grands seigneurs partis pour les croisades, s'y laissant prendre lui-même et gesticulant sur son escabeau. Après un quart d'heure, la vieille femme se trouvait tellement réjouie qu'elle avait perdu toute méfiance à son égard. Elle avait posé un gros pot de biscuits devant lui et Rozie eût facilement passé le reste de la journée à narrer les inoubliables aventures des habitants de Styrrog, tellement son histoire l'emballait, mais il n'oubliait pas, en travailleur consciencieux, qu'il avait une tâche à remplir. Il dit tout soudain à la cuisinière qu'il devait aller s'occuper de son cheval qu'il avait oublié et laissé sans soins au coin de la rue, qu'il le mènerait à l'écurie pour qu'il soit bouchonné et pansé, et qu'il reviendrait aussitôt ce travail fait lui raconter la suite. Et avant qu'elle ait eu le temps de lui proposer de le raccompagner jusqu'à la porte, il se sauva en assurant qu'il connaissait le chemin de la sortie.

Il était de nouveau dans le corridor dont la moitié des murs, du plancher jusqu'à hauteur des yeux, étaient peints coquille d'œuf, et dont l'autre moitié, dans une ligne horizontale de ses yeux jusqu'au plafond, étaient d'un beige foncé des plus déprimants. Sans se questionner outre mesure, il ouvrit chaque porte l'une après l'autre, espérant trouver le Bouffon. Il y avait plusieurs salles de musique, un atelier de peintre, et quelques salles qui avaient l'air de servir d'entrepôts à d'étranges gros jouets, tels que marionnettes et poupées géantes, toutes absolument vides. Puis, au moment d'ouvrir une des portes qui se trouvait au bout du corridor, tout près de la sortie, il entendit une voix aiguë qui chantait à la tyrolienne un air qu'il connaissait. « Voici le Bouffon Enguerrand, songea-t-il, c'est cet homme qui ne veut voir personne, il s'agit bien d'être fin-finaud. »

Il ouvrit la porte et entra. Dans une vaste pièce au parquet recouvert d'un épais tapis d'Orient bleu pâle et éclairée généreusement par de larges fenêtres à peine voilées d'un rideau de dentelles, le Bouffon, mince et long, le regard incroyablement bleu dans un visage rond et trop pâle, levait son nez retroussé vers lui. C'était donc le Fou Enguerrand, vêtu des pieds à la tête d'une combinaison d'hiver rembourrée, d'un bleu de la même couleur que le tapis, un genre de « soute » pour aller glisser en toboggan, deux grosses tresses terminées de rubans en boucles d'un carreauté écossais, deux tresses lui tombant dans le dos, qui se tenait debout en face d'une gigantesque harpe, et fixait Rozie d'un regard stupéfait.

— Qu'est-ce qui se passe ? dit-il, une fois qu'il eut arrêté ses trilles tyroliennes.

— Je viens seulement de la part de la cuisinière… commença Rozie.

Mais il n'eut pas le temps de finir sa phrase. Enguerrand était passé devant lui en poussant un miaulement aigu et courait maintenant dans le couloir en pleurant à gros sanglots qui se répercutaient en écho sur tous les murs.

— J'ai dit que je ne voulais pas être dérangé, se plaignait-il au milieu de ses braillements. Lorsqu'il fut arrivé au bout du corridor, près de la cuisine, il changea d'idée, revint brusquement sur ses pas et s'arrêta devant Rozie qui, interloqué, était resté à l'entrée de la pièce.

— Qu'est-ce que vous faites ici ? Comment vous appelez-vous ? dit-il plus posément, le visage inondé de larmes et le corps encore secoué.

— Je ne savais pas que j'allais vous faire tellement de peine, dit Rozie qui avait pâli. Si j'avais su...

— Je ne peux avoir aucun plaisir ? dit le Bouffon sur un ton de défi. Je n'ai pas le droit d'avoir un seul plaisir, moi ? Quel est votre nom ?

— Je m'appelle Martine Rozie, dit Rozie, mais comme je vois que vous êtes habillé pour sortir et que je vous dérange...

— Qu'est-ce que vous avez comme accent, Martine ? Ça vient d'où, cet accent ? Je ne vais pas sortir, je viens de rentrer. Je suis allé patiner avec le Prince.

— On m'appelle Rozie, dit Rozie. Et j'ai fabriqué mon accent moi-même. C'est un mélange d'accent italien et d'accent norvégien.

— C'est une bonne idée, dit Enguerrand qui ne pleurait plus et qui examinait Rozie avec une certaine curiosité. À part ça, je suppose que vous savez marcher sur une corde et que vous voulez que je vous embauche ? Vous m'avez l'air de chercher du travail. Allez trouver Chazel, le directeur du théâtre, et dites-lui que je lui demande de vous engager. Mais maintenant, laissez-moi tranquille surtout.

Rozie, considérant que sa mission était pleinement accomplie, remercia poliment et s'en fut à toute vitesse. Comme il allait sortir de la maison, il buta contre la Comtesse d'Alpenstock qui venait faire une petite visite au Fou, et faillit la faire tomber. La Comtesse d'Alpenstock était vêtue du même type de combinaison d'hiver qu'Enguerrand, en satin luisant et rose celle-ci, on voyait qu'elle venait de défaire ses tresses et ses cheveux tombaient en vagues sur ses épaules.

Rozie la trouva tellement amusante qu'au lieu de s'excuser et de disparaître comme il aurait dû le faire, il dit, affable :

— Je vois que vous êtes allée patiner ce matin avec le Prince.

— En effet, dit la Comtesse qui s'était mise à l'examiner en avançant son visage à deux pouces du sien. En effet, je suis allée patiner, et vous pouvez voir à la neige que j'ai partout que je suis tombée maintes fois. C'est pour vous dire que je ne raffole pas du patinage. Mais qu'est-ce que vous avez comme accent ?

— C'est un mélange d'accent italien et d'accent norvégien, dit Rozie.

— Pourquoi les deux ? demanda-t-elle encore.

— Je trouvais ça plus joli avec les deux, dit Rozie.

— Bien entendu, vous n'êtes jamais allé en Italie, dit la Comtesse avec un air fâché.

Rozie vit que cela peinait la Comtesse d'Alpenstock qu'il ne fût jamais allé en Italie, et déclara :

— J'arrive d'Italie, Madame. C'est là que j'ai pris la moitié de mon accent. J'ai passé la moitié de ces dernières années en Norvège et l'autre moitié en Italie.

Je visite très consciencieusement les pays dont je pille l'accent.

À ces mots, la Comtesse avait pris le bras de Rozie et l'acheminait maintenant vers la pièce dans laquelle il avait laissé le Fou Enguerrand.

— Enguerrand, j'ai une belle surprise, dit la Comtesse en entrant.

Enguerrand les vit entrer et ses bras tombèrent.

— Je suis découragé, dit-il.

— Ce n'est pas décourageant, dit la Comtesse. C'est extrêmement stimulant. Ce beau Monsieur arrive d'Italie.

— Je ne veux pas le voir, dit Enguerrand en détournant la tête, la main sur les yeux.

— Écoutez, dit la Comtesse à Rozie, vous allez partir parce qu'Enguerrand ne veut pas vous parler, mais vous viendrez me voir chez moi demain, promettez-le. Je vais vous donner toutes sortes de bonbons, de chocolats et de bonnes choses à manger. Hein ? Vous me le promettez ?

Rozie, un peu abasourdi, promit, prit rendez-vous pour l'après-midi du lendemain, et se retrouva enfin en pleine rue où il poussa un grand rire de soulagement.

*
* *

Quand Lyly, revenant de chez Chazel, le directeur du théâtre, arriva à la petite maison délabrée où il avait dormi avec ses amis, il ne trouva personne évidemment, pas même un mot sur la porte indiquant s'ils allaient revenir. Il décida d'arpenter à leur recherche les rues du centre-ville, se disant qu'ils avaient sans doute été attirés plus particulièrement par celles où il y avait des étalages de nourriture.

Il traversa ainsi tout le quartier qui se déployait en cercles concentriques autour de la grande église, flânant d'un pas nonchalant et volant de-ci de-là un poisson fumé ou une brioche. Alors qu'il allait se décourager et retourner dans la ruelle, il aperçut Cécil qui, dans son long manteau noir déchiré, tournait le coin d'une rue. Il le rattrapa et, le souvenir des bienfaits de cette journée lui revenant à la mémoire, lui sauta au cou.

— Cécil, tu ne peux pas te figurer toutes les choses que j'ai faites aujourd'hui, dit-il. Et d'abord, je nous ai trouvé un endroit où loger. Mais où est Rozie ?

— J'ai envoyé Rozie rendre une petite visite au Bouffon Enguerrand. Il avait besoin de s'occuper et je lui ai donné cette petite tâche à accomplir. Mais qu'est-ce que c'est que cette histoire de logement ?

Lyly raconta brièvement à Cécil sa rencontre avec Chazel.

— Tu n'as qu'à te trouver quelques vêtements un peu convenables, dit-il pour finir, et tu seras le Sieur Cécil de Spenntel-Hoguel pour tout le monde. Je ne savais trop quoi inventer et j'ai dit que j'étais ton écuyer. On ajoutera que je suis ton neveu. Quant à Rozie, ce sera un de tes amis qui nous aura accompagnés. J'espère qu'il n'a pas vu Enguerrand. Cet idiot serait capable de nous faire rater notre petite mise en scène.

— J'ai bien peur qu'il ne l'ait fait. Quand je demande quelque chose à Rozie, c'est assez rare qu'il ne s'exécute pas fidèlement.

— Le Bouffon ne voit jamais personne, dit Lyly.

— Ce n'est pas ça qui va décourager Rozie, j'en ai peur.

Ils s'en allèrent retrouver leur ruelle encombrée. Le jour baissait et on commençait à geler dans les rues humides. Rozie était à la maison et les attendait. Il avait fait un feu dans le vieux foyer avec du papier journal et la pièce principale était éclairée et chaude.

— J'ai des bonnes nouvelles, dit-il en les voyant. Je me suis trouvé du travail comme bouffon de foire. De plus, je vous prie de remarquer comme j'ai amélioré notre petit gîte.

— Bouffon de foire ! dit Lyly. Saltimbanque à deux sous ! Tu n'as rien fait que des idioties en comparaison de ce que j'ai fait, moi.

Chacun raconta sa journée et on fit des plans pour celle qui s'en venait. Désormais, Cécil serait le noble Seigneur de Spenntel-Hoguel, le gros Lyly, son écuyer et neveu, et Rozie un compagnon de voyage. Ils arriveraient d'Italie où ils auraient passé quelques années, étant donné que cette ville de Varthal ne jurait plus que par l'Italie. Ils se trouveraient des vêtements plus décents et iraient à l'auberge le lendemain soir. Demain Lyly devait retourner chez Chazel qui leur aurait ménagé une entrevue avec le Bouffon, et Rozie irait, habillé correctement, chez la Comtesse d'Alpenstock où il déclinerait sa nouvelle identité et inventerait n'importe quoi pour expliquer sa tenue de la veille. Bien entendu, il n'était pas question, puisqu'on était nourris et logés, que Rozie travaille dans la compagnie de Chazel.

— Et qu'est-ce que je dois dire de l'Italie ? demanda Rozie. Moi, je ne connais rien à l'Italie et encore moins au latin.

— Ça n'est pas nécessaire que tu saches le latin, dit Cécil. Tu inventeras quelque chose au sujet de l'Italie, tu es bien capable d'imaginer l'Italie, quand même !

Chapitre II

L'Italie de la Comtesse

Lyly n'avait pas complètement menti à Chazel. Cécil, le chef de leur petite bande de vagabonds, fils d'un fermier d'une lointaine campagne, avait bien autrefois écrit quelques pièces de théâtre qu'il avait montées lui-même pour les habitants de sa bourgade. Il avait aussi une certaine connaissance du latin, l'ayant étudié à l'école dans les premières années de sa vie. Cécil avait été chassé de sa région natale au terme de son adolescence, après qu'il eut été pris à voler du gibier sur la terre d'un gros bourgeois. Mais il y avait réellement eu, dans la vie du boiteux, une période pendant laquelle il s'était passionné pour la lecture et le théâtre, avant qu'il se joigne à ses amis comédiens ambulants. C'est pourquoi ses joyeux compères lui faisaient une absolue confiance. On se sentait en sécurité avec Cécil.

C'est donc la pensée du grand Cécil qui occupait l'esprit de Rozie, alors qu'il se rendait, habillé proprement et rasé, chez la Comtesse d'Alpenstock. Celle-ci, qui l'été vivait chez le Roi en banlieue, occupait l'hiver un vaste appartement à l'endroit le plus fréquenté de la ville, juste en face de la grande horloge de la mairie. Rozie n'eut pas de mal cette fois-ci à être introduit, et la Comtesse, le recevant aimablement avec de grosses embrassades, le fit asseoir en face d'elle sur un petit tabouret de son salon, alors qu'elle était elle-même assise en tailleur sur le tapis, sa longue jupe à crinoline formant ballon autour d'elle.

— Ainsi donc, vous revenez d'Italie, dit-elle tout de suite. Que j'ai hâte d'avoir des nouvelles de ce pays que j'aime tellement !

— Dites-moi, Madame, dit Rozie, est-ce que vous-même êtes déjà allée en Italie ?

— Bien sûr que je suis allée en Italie, dit la Comtesse. Vous pensez bien que je n'aimerais pas tant ce pays si je ne l'avais pas vu.

— Est-ce que vous avez visité toute l'Italie ou seulement l'Italie du nord ? demanda Rozie.

— J'ai malheureusement dû m'en tenir à l'Italie du nord, dit la Comtesse, mais je compte y retourner lors d'un prochain voyage, et alors j'irai sans doute plus au sud.

— J'ai le regret de vous informer que je n'ai vraiment vu que l'Italie du sud, dit Rozie. Nous sommes passés très rapidement par le nord, parce qu'on nous avait dit que la véritable Italie, celle qui regorge de trésors artistiques fabuleux qui font maintenant la mode partout sur le continent, se trouvait au sud de Rome et qu'on n'en voyait qu'une pâle copie dans le nord. Les vrais italianisants vont au sud, bien que ces régions soient plus difficiles d'accès et qu'on y soit sans cesse harcelé par les brigands et les pillards de la route. Cela vous expliquera que vous m'ayez vu hier dans ce lamentable accoutrement et que votre Bouffon m'ait pris pour un saltimbanque.

— Ah, les vrais italianisants vont au sud ? dit la Comtesse.

— Bien sûr ! C'est un fait très connu ! dit Rozie. Il y a des grands pèlerinages de savants vers le sud actuellement. Mais ce sont des hommes courageux qui sont capables de se contenter de peu et de vivre dans des conditions misérables pour l'amour de la science et des arts. On voit, sur les routes du sud, en Italie, de longues enfilades de vieux sages barbus et en guenilles, transportant eux-mêmes leurs instruments, microscopes, télescopes et que sais-je, le long des côtes méditerranéennes et dans ces villes aux mille cathédrales. Et si vous vous promenez par les campagnes à la tombée du jour, vous verrez ces vieux maîtres dont on parle tant, comme des génies bienfaisants, assis à leur chevalet en pleine nature, en train de peindre la beauté des soleils couchants sur les toits italiens.

— Ah ? Je verrais ça ? dit la Comtesse ébahie.

— Vous verriez ça et bien d'autres choses, dit Rozie. J'ai vu des cathédrales tellement énormes, tant en hauteur qu'en largeur, qu'on avait installé tout le marché de la ville sur les toits, auxquels on accédait par un petit escalier, et vous alliez chercher vos fruits en vous promenant entre les gorgones. Des gens tenaient auberge à l'intérieur même de l'église, et des lits étaient installés dans les jubés. Les allées étaient pareilles à des rues et j'ai vu des églises compter une centaine d'allées. J'en ai vu une, à la campagne, un prodige de perfection architecturale, qui était si grosse que tout un bourg y vivait, à l'intérieur et au-dessus, si bien que, lorsqu'on l'apercevait de loin, on avait l'impression qu'il n'y avait qu'elle, toute seule au milieu d'un champ.

— Mais c'est incroyable ! dit la Comtesse. On ne m'avait pas encore raconté ces choses sur l'Italie.

— On vous aura menti, dit Rozie. Les gens en entendent parler et veulent faire croire qu'ils y sont allés. Alors ils vous font des mensonges et vous décrivent de fades monuments qui ne sont que de petites horreurs décadentes comparativement à ce que l'Italie est vraiment. Il faut le voir pour pouvoir l'expliquer. Ces visions s'impriment fortement dans votre mémoire et marquent votre vie au point que vous avez l'impression de vivre un constant miracle lorsque vous êtes déjà allé dans la vraie Italie. Sur toutes les façades des maisons ou presque, il y a des fresques gigantesques entièrement dessinées à la peinture d'or et d'argent...

— À la peinture d'or et d'argent ? dit la Comtesse. Je croyais que cela était pompeux et d'un goût douteux.

— Eh bien, ces fresques étaient pourtant à la peinture d'or et d'argent, mais rehaussées, très rehaussées de toutes les autres nuances, de toutes les couleurs qu'on a inventées dernièrement, et je vous assure que c'était du meilleur goût. C'est-à-dire qu'elles paraissaient bel et bien d'or et d'argent quand on les regardait d'un peu loin, et, quand on s'en approchait, on s'apercevait qu'il y avait une multitude de coloris. Et chacune de ces toiles racontait les aventures des grands héros italiens de notre époque, que vous connaissez sans doute. J'ai vu une toile qui recouvrait à elle seule, comme une immense coupole, une ville entière. Et ne croyez pas qu'il n'y avait qu'un simple dessin figuratif sur cette toile. De près, on pouvait voir une infinité de minuscules dessins, grands comme le pouce, qui s'imbriquaient dans des détails plus gros de la fresque, et cela était d'une richesse d'imagination incroyable.

— Et toute la population vivait en dessous ?

— Oui, c'était le ciel de ce bourg. On voit des choses plus bizarres encore dans le sud de l'Italie. Les savants italiens maîtrisent si bien la météorologie qu'ils sont capables de sculpter des nuages, et on voit des nuages se promener dans le ciel comme un constant dessin animé. Le grand maître sculpteur des cieux italiens s'appelle Henrio Michel-Ange, et c'est le fils du Michel-Ange que vous connaissez. Vous pouvez vous asseoir toute une après-midi dans l'herbe et vous ne vous lasserez pas des histoires que racontent ces étranges nuages, tellement elles sont merveilleuses.

— Que c'est fantastique ! dit la Comtesse d'Alpenstock. Mon Dieu, que c'est merveilleux que j'aie pu vous rencontrer pour que vous me disiez toutes ces choses ! Je vois que vous êtes un esprit raffiné.

— Je suis un fanatique de l'Italie, dit Rozie modestement. Rien d'autre qu'un fanatique de l'Italie.

Parfaitement à l'aise, le presque aveugle, qui y voyait quand même assez bien comme on aura pu le remarquer, passa ainsi l'après-midi avec la Comtesse d'Alpenstock, et il la quitta sur la promesse qu'il reviendrait dans la semaine même lui parler de ses voyages et qu'elle prendrait des notes cette fois-là.

Chapitre III

Le Bouffon à la veille de Noël

Dans le visage exsangue du Bouffon Enguerrand, une lueur d'amusement s'était allumée quand il avait vu entrer Cécil.

— Ainsi donc, Monsieur, vous venez de Spenntel-Hoguel ? dit-il avec un petit sourire.

— Oui, Monsieur, dit Cécil, Spenntel-Hoguel et Rodenbrandt en droite ligne en passant par l'Italie.

— Et dites-moi, Monsieur, Spenntel-Hoguel, c'est loin comme le diable d'après ce qu'on m'a raconté ?

— C'est loin, Monsieur, très loin, dit Cécil.

— On m'a dit aussi, Monsieur, que vous vous intéressez au théâtre ? Je suis un passionné de théâtre moi-même.

— Oui, Monsieur, dit Cécil. Nous sommes, mes amis et moi, fanatiques de théâtre et d'Italie.

— Vous avez l'air de bien connaître l'Italie, en effet, dit le Bouffon.

— Oui, je suis un peu humaniste, dit Cécil, et je peux dire sans fausse modestie que je connais l'Italie comme le fond de ma poche.

— Comme le fond de votre poche ! dit le Bouffon en se levant. Eh bien, Monsieur Cécil, je serai content de voir vos pièces jouées au théâtre des Deux Lanternes. Je vais donner l'ordre à Chazel de les monter dans les mois qui viennent et de vous en confier la mise en scène. Je ne peux pas vous recevoir plus longtemps aujourd'hui, malheureusement, étant trop occupé par mes fonctions, mais j'espère que j'aurai bientôt le plaisir de m'entretenir plus longuement avec vous. Connaissez-vous le Roi Arteur, le Roi de Varthal ?

— Je le connais pour en avoir entendu parler, dit Cécil. Mais je n'ai jamais eu le plaisir de le rencontrer.

— Je vous ferai rencontrer le Roi Arteur, dit Enguerrand. Le plus tôt possible. Je ne voudrais pas qu'il manque le bonheur de vous connaître, n'est-ce pas ? Donc vous jouerez probablement vos pièces à la Cour. Est-ce que vous vous trouvez bien logés à l'auberge du Cheval-qui-rit ?

— Nous sommes très bien, Monsieur.

— C'est bon ! dit le Bouffon en raccompagnant Cécil à la porte. Je vous ferai savoir ce qui se passe avec le théâtre. Je pourrai avoir un plus long tête-à-tête avec vous la semaine prochaine. D'ici là, amusez-vous bien, et prenez soin de votre santé.

Et c'est ainsi que Cécil se retrouva en face de la porte grillagée, avec un rendez-vous chez le Roi.

*

* *

Après le départ de Cécil, le Bouffon Enguerrand rangea soigneusement ses partitions de harpe dans un petit bureau, se vêtit d'un long manteau d'hermine blanche et se rendit chez le Roi. La maison d'hiver du Roi était située à la sortie du quartier populaire, en plein milieu d'un grand parc. Il sonna et demanda le Prince. « Elle est chez elle », répondit un valet. Enguerrand monta en courant les marches du grand escalier qui menait à la chambre de Smine et ouvrit sa porte sans frapper. « Smine, dit-il en s'avançant dans la pièce, je veux te demander quelque chose. » Il jeta un coup d'œil autour de lui et ne trouva aucune trace de celle qu'il cherchait.

— Je suis ici, cria-t-elle du balcon. Je suis en train de regarder le défilé.

Tous les jours, à midi, les soldats défilaient devant la maison du Roi, et d'habitude le Prince Smine se moquait bien du défilé, mais depuis quelque temps elle avait remarqué un jeune capitaine du corps de garde particulièrement sympathique, et cela expliquait son intérêt soudain pour le défilé.

Enguerrand la rejoignit sur le balcon alors qu'elle faisait un petit sourire gêné à son capitaine. Il tourna le dos au parc et s'accouda à la balustrade.

— Smine, dit-il, tu as entendu parler de ces pèlerins qui arrivent d'Italie ?

— Est-ce que tu es en train de te préparer pour ce soir ? dit Smine.

— Je me fous bien que ce soit Noël ce soir, dit Enguerrand. Je suis venu te parler de ces pèlerins.

— Oui, dit Smine distraitement. D'Alpenstock est délirante en ce moment. Elle ne dit pas deux mots qui ont du sens.

— Et toi-même, qu'est-ce que tu en penses ?

— Oh moi, dit Smine qui gardait les yeux braqués sur son capitaine, moi je ne les ai pas encore vus. Je ne suis pas tellement folle de l'Italie et de toutes ces choses latines, et je me moque un peu des vieux savants.

— Ils ne sont pas vieux, dit Enguerrand, pas très vieux, plutôt dans la force de l'âge.

— Ah ? dit Smine qui avait l'air un peu intéressée. Comment sont-ils physiquement ?

— Eh bien... ils sont un peu débraillés, dit Enguerrand.

— Débraillés ?... ça me plaît, dit Smine.

— Un peu débraillés et un peu disloqués, j'en ai peur, dit le Bouffon, mais à part ça, ils ont un certain charme, je suis sûr que tu serais sensible à leur charme.

— Disloqués ? Ça veut dire quoi ça, disloqués ?

— Toi, dit le Bouffon, toi, Smine, est-ce que tu pourrais t'intéresser à un homme qui aurait une petite boiterie ?

— Un boiteux, dit Smine. Quelle horreur ! Qu'ils s'amusent avec la Comtesse d'Alpenstock, je n'ai pas envie de voir ces boiteux. D'ailleurs je ne comprends rien au latin. Ainsi donc, cette chère Comtesse est en train de s'éprendre d'un paquet d'éclopés. Qu'elle a donc un drôle de tempérament !

— Je te le dis, Smine, tu seras peut-être surprise quand tu les verras. Ils sont très étonnants, très, très étonnants. Ils vont monter des pièces de théâtre à Varthal. Il y en a un qui écrit et j'en ai parlé à Chazel. Je suis venu te voir parce que je voulais savoir si c'était possible de leur arranger une entrevue avec Arteur.

— Ce n'est pas demain que mon père va s'intéresser au théâtre, dit le Prince Smine. Ni à l'Italie. Pourquoi veux-tu qu'ils rencontrent le Roi ?

— Ça, ça me regarde, dit le Bouffon.

Le défilé était passé et ils étaient allés s'asseoir dans les grands divans roses de la chambre du Prince.

— Quant à moi, ajouta-t-il, je trouve ces humanistes particulièrement fins et spirituels, bien que cela ne saute pas aux yeux. Très spirituels. Je voudrais qu'ils aient une entrevue avec ce lourdaud d'Arteur, et je voudrais également assister à cette entrevue. C'est une idée que j'ai eue et qui continue de me trotter par la tête. N'essaie pas d'avoir davantage d'explications et arrange-toi pour que j'obtienne ce tête-à-tête.

— Bon, dit le Prince Smine. Tu sais que je n'ai pas vu mon père depuis des mois.

— Arrange-toi pour te réconcilier. Fais ça pour me faire plaisir. Dis-lui que tu arrêtes de bouder et que tu veux le voir de nouveau.

— Est-ce que ça n'est pas pareil s'ils rencontrent Rembrondte ?

— Non, Smine, dit le Bouffon qui avait monté le ton et était sur le point, on le voyait, de se mettre à crier. J'ai horreur de cet hypocrite, Smine, tu le sais. Je veux qu'ils voient Arteur en personne.

— Mais qu'est-ce que tu es en train de manigancer ?

— Je veux m'amuser, dit le Bouffon. On s'amuse si peu. Je veux essayer de m'amuser.

Enguerrand avait rougi, le Prince vit qu'il allait se mettre en colère, et comme elle détestait les colères de son Bouffon qui pleurait et faisait des scènes épouvantables, elle promit qu'il aurait son entrevue. Il la quitta aussitôt et se mit à courir dans la rue en direction du théâtre de Chazel.

*
* *

On disait « le théâtre de Chazel » ou le « théâtre des Deux Lanternes » en parlant du bâtiment sis rue des Deux Lanternes qui abritait les bureaux du directeur, ainsi que sa boutique. Mais le vrai théâtre des Deux Lanternes, c'est-à-dire le lieu où les pièces étaient jouées, se trouvait à la sortie de la ville, dans une banlieue du nord, presque à la campagne. Quand les gens voulaient voir une pièce, ils allaient ainsi à cheval, ou en calèche, à une dizaine de milles de chez eux, et c'était toute une aventure d'aller au théâtre. On s'y préparait longtemps à l'avance et on en parlait encore longtemps après. Mais, comme l'avait dit Chazel à Lyly, le théâtre qu'on avait joué à Varthal ces dernières années était assez médiocre, et cela suffisait à expliquer l'engouement soudain du Bouffon Enguerrand pour nos trois amis, et pourquoi, en ce 24 décembre, alors qu'il eût pu s'occuper à des jeux plus amusants, il courait la ville enneigée.

Chazel était, avec ses comédiens, dans une grande pièce qui servait de salle de répétitions. On préparait une parade burlesque qu'on ferait le soir même dans les rues de la ville après la messe de Noël, et les comédiens, pirouettant et dansant ici et là, s'entraînaient pour le ballet qu'on avait prévu.

— Qu'est-ce qui vous amène, cher Enguerrand ? dit Chazel en s'avançant vers lui pour lui serrer la main. On ne vous voit pas souvent par ici, surtout la veille de Noël. Je vous croyais plutôt en train de vous préparer pour la fête et de compter vos cadeaux au pied du sapin du Prince Smine.

— Je me fiche de mes cadeaux, dit Enguerrand. J'ai envie de travailler. Nous avons du pain sur la planche, nous avons une parade à préparer pour ce soir et c'est moi qui vais superviser la répétition générale. Dites à vos comédiens de se presser, je m'en vais à la mezzanine et je veux voir le spectacle dans quelques minutes.

— Vous allez superviser la répétition ? dit Chazel, surpris. Vous n'avez pas fait ça depuis des années.

— Eh bien, je m'y remets, dit Enguerrand.

Avertis que le Bouffon allait s'occuper lui-même de la parade, les comédiens s'empressèrent de se mettre au travail, car on ne riait pas avec le Fou Enguerrand. Il observa la pantomime et le ballet, du haut de sa mezzanine, impassible et sans bouger, puis, lorsque tout fut fini, il descendit sur la scène et cria, raide et froid :

— J'étouffe ! Ce que vous faites est tellement mauvais et sans vie qu'on ne ressent qu'un mortel étouffement quand on vous regarde. Croyez-vous qu'il est suffisant de faire le grand écart pour qu'on s'amuse ? Vous nous donnez l'impression de parodier une catastrophe, est-ce qu'il y a une catastrophe ce soir ? Est-ce qu'il n'y a plus de sang dans vos veines ? Pantins affaissés ! On devrait vous actionner avec des câbles pour vous faire bouger, vous ne savez pas bouger tout seuls. Quel mauvais théâtre, que c'est pénible de travailler avec des mauviettes et des momies ! Quand vous allez passer dans les rues, vous allez endormir tout le monde avec vos mines de fantômes. Si vous ne vous réveillez pas, je renvoie tout le monde dès demain.

— Lui, il l'a, la manière, dit un clown à son ami, s'il nous payait un peu mieux, on serait probablement plus enthousiastes. Et s'il n'était pas toujours en train de nous vampiriser, probable qu'on aurait plus de sang dans les veines. Est-ce qu'il pense qu'on va se mettre en fête pour les beaux yeux porcins du Roi ?

— Il veut de l'action, le smatte, dit un autre en parodiant les manières affectées du Bouffon. On s'ennuie au château, ça a l'air. S'ils commencent à se mêler de nos affaires, en plus, on n'a pas fini.

— Fouette cocher, dit un autre encore.

— Moi, je pense qu'on devrait s'activer un peu, dit

un équilibriste, parce que sinon on sera encore là à dix heures. Je fête chez des amis avec toute ma famille, on devrait en finir au plus tôt. Moi, je veux ma paye puis je décampe.

Ils reprirent la répétition, mais le Bouffon quitta la salle avant la fin en emmenant Chazel. Ils allèrent dans un salon de thé, situé dans la rue des Deux Lanternes à côté du théâtre, et s'installèrent devant des pâtisseries.

— Le théâtre ne veut plus rien dire pour eux, dit Enguerrand. C'est d'un ennui épouvantable.

— Qu'est-ce que vous voulez, dit Chazel, raisonnable ? On ne fait pas lever les morts. Ces gens-là ne s'intéressent pas à leur travail et ils se foutent bien d'amuser la foule, ils ne veulent que leur argent. De plus, vous êtes tellement froid, Enguerrand, ils ne vont pas se mettre en frais pour vous. Je crois qu'ils méprisent le Roi et la Cour et ce qu'on leur demande ne relève pas de leur véritable culture. Ça ne les stimule pas. On n'arrivera jamais à les intéresser à jouer pour la Comtesse d'Alpenstock, c'est comme leur demander de s'exprimer en latin, ils vont le faire pour être payés, mais ne vous plaignez pas de la pauvreté de leur imagination après ça.

— Je crois que les choses pourraient s'arranger avec ce Sieur Cécil de je ne sais plus où.

— De Spenntel-Hoguel, dit Chazel. On parle latin à Spenntel-Hoguel. Et italien. Moi, je n'ai rien contre, ça sera emballant pour la Cour, mais ne comptez pas changer vos comédiens et votre théâtre avec ça. Vous allez avoir les mêmes zombis dans des scènes italiennes du Sieur Cécil.

— Si c'est ce que je pense, dit Enguerrand avec un demi-sourire, si c'est ce que je pense, on risque de s'amuser plus que vous ne croyez avec cette Italie-là.

— Les gens de Spenntel-Hoguel ont certainement beaucoup d'esprit, dit Chazel, mais permettez-moi d'être quand même perplexe. Ça n'est pas une bonne époque pour le théâtre.

— Nous verrons, nous verrons bien, dit Enguerrand. En attendant, la fête de ce soir sera parfaitement ennuyeuse, j'en ai peur.

— Ce serait pire sans fête du tout, dit Chazel.

Chapitre IV

Un Noël à Varthal

Dans la ville décorée de banderoles et de fanions, Cécil, Rozie et Lyly se promenaient en mangeant des gâteaux et en ouvrant de grands yeux.

— Qu'est-ce que c'est, quand même, qu'une grande ville ! dit Rozie.

Des chevaux décorés de pompons de toutes les couleurs trottinaient autour d'eux dans un bruit de clochettes, attelés à des traîneaux à l'intérieur desquels des bourgeois bien emmitouflés criaient des *Joyeux Noël* à la ronde. Et la rue était pleine de la fumée des naseaux de ces chevaux carillonnants. Derrière la vitre givrée d'une calèche, une petite fille fit un grand sourire à Rozie.

— Est-ce qu'on va nous aussi à la messe de minuit ? demanda-t-il. Je n'ai pas vu une messe de minuit depuis ma tendre enfance.

— On va à l'église, bien sûr, dit Cécil, on est arrivés.

Les gens sortaient de partout, en effet, de toutes les rues donnant sur la grande place de l'église, enveloppés dans des pelisses épaisses ou de lourds tissus, serrant frileusement la main d'enfants qu'on venait de sortir du lit. À leur suite, ils s'engouffrèrent dans l'église.

Un chœur grégorien chantait dans le jubé des airs de Noël que tout le monde reprenait à sa façon, et ça faisait une très joyeuse cacophonie. Nos trois lurons étaient allés s'asseoir par terre près de la crèche parce que Rozie voulait voir les animaux sculptés et le vrai Jésus de cire qu'on disait très beau, et à côté d'eux, assis dans un banc, un très grand bonhomme aux traits asiatiques chantait tellement fort et avec tant d'entrain qu'on devait l'entendre au-dessus des autres voix dès l'entrée de l'église. La messe était déjà commencée et, à l'autel, l'évêque faisait sa petite cérémonie, accompagné d'une dizaine d'abbés, mais le vrai spectacle était dans la nef où le peuple de Varthal se tassait. Des enfants dormaient dans les bancs et, dans les allées envahies, des vieilles mendiantes se promenaient en quêtant. Il y avait des gens qui priaient dans les premières rangées, peut-être parce qu'ils étaient davantage tenus sous le regard de l'évêque, mais partout ailleurs ça riait ou jouait de la musique et on ne s'entendait plus. Alors que Lyly était appuyé à une grosse colonne et surveillait, fasciné, le spectacle de la foule, une jeune femme mal vêtue et le regard égaré s'approcha de lui et se jeta soudainement dans ses bras. « Joyeux Noël », dit-elle d'une voix qui lui parut avinée. Elle se blottit contre lui et ne voulut plus partir. Lyly la garda dans ses bras, instinctivement, parce que c'était Noël et qu'il était heureux, et aussi parce qu'elle avait l'air tellement perdue, et, après un bref moment où il s'était senti mal à l'aise, il lui demanda comment elle s'appelait.

— Je m'appelle Noël-Petit-Noël, dit-elle en donnant des grands becs sur les joues de Lyly.

Puis elle lui demanda de l'argent, et il comprit qu'elle faisait partie de la bande de mendiants. Il répondit doucement qu'il n'avait pas d'argent sur lui et qu'il était lui-même à la rue, en se disant qu'elle allait le laisser aussitôt, mais elle continuait de s'accrocher à ses vêtements en se dandinant et en marmonnant toutes sortes de choses au sujet des nuits de Noël. Il comprenait des lambeaux de phrases détachés de leur contexte comme : « ...des farfadets farfalones sont sortis de la crèche... » ou bien « ...les pieds dans neige j'avais perdu trois cennes... » ou bien « ...j'aurai acheté un chapeau avec des fleurs... » et des choses du genre. Une vieille femme qui dégageait une odeur affreuse s'approcha d'eux et l'appela.

— Viens-t'en, Comédie, dit-elle, on s'en va ailleurs. Et elle la tira un peu par le bras.

Mais celle qui s'appelait sans doute Comédie ne voulait pas lâcher le manteau de Lyly, et la vieille, abandonnant la partie, s'en fut rejoindre les mendiants qui, sortant des nefs latérales, autant qu'on pouvait en juger, s'en allaient vers les portes. Lyly se pencha vers l'oreille de Comédie et lui chuchota :

— Ils sont partis, ils s'en vont sans t'attendre. Tu vas te retrouver toute seule ici.

La jeune fille imita Lyly et lui chuchota à son tour :

— Je vais les retrouver tantôt en dessous du pont, ce qui était peut-être la première phrase raisonnable qu'elle proférait. Puis elle s'endormit et se mit à ronfler très fort.

À la fin de la messe, après les grands brassements de foule pour la communion, Cécil vint à Lyly et lui fit signe qu'ils s'en allaient. Mais Comédie se réveilla tout à coup, exactement comme si Cécil avait parlé, et s'accrocha de nouveau au cou de Lyly. Ils sortirent de l'église et se dirigèrent vers le parc où il y avait la parade et où tout le monde allait maintenant.

— On va voir la parade, Comédie, dit Lyly. Ensuite on ira en dessous du pont.

— Pourquoi en dessous du pont ? dit Comédie. Qu'est-ce qu'il y a en dessous du pont ?

— Tes amis t'attendent en dessous du pont, dit Lyly, tu me l'as dit toi-même.

Cécil et Rozie marchaient bras dessus bras dessous devant eux et rigolaient en regardant les passants. Comédie était encore suspendue au cou de Lyly, et il avait du mal à suivre ses amis parce qu'il devait presque la porter. Elle ne disait plus un mot et somnolait, apparemment.

— Je ne peux pas te porter comme ça, dit Lyly. Tu es trop pesante. Je vais te laisser ici.

Il l'abandonna sur le pavé d'une maison, où il lui sembla qu'elle s'endormit, et courut rejoindre ses amis.

— Tu t'es fait une copine ? dit Cécil. Lyly est un véritable Don Juan. Il ne peut pas aller quelque part sans courir les jupons.

— C'est vrai, dit Rozie. Tu aurais pu te retenir, Lyly, en pleine cathédrale. Mais où est passée ta beauté fauve ?

— Elle avait l'air d'avoir une belle conversation, dit Cécil.

— Elle faisait partie de la troupe de mendiants, dit Lyly, sérieux. C'est terrible d'être si jeune et déjà ivrogne. Elle avait tellement bu qu'elle n'était pas capable de marcher et que je devais la porter.

Au parc, c'était la fête et, sous les balcons de la maison du Roi, les comédiens en costumes de foire et maquillés faisaient leur pantomime.

— Regardez, sur le balcon, dit Cécil, je vois le Bouffon du Roi. Mon doux, qu'il a l'air grognon !

Quand le Bouffon Enguerrand, qui était avec le Prince et la Comtesse d'Alpenstock, aperçut les trois pèlerins de Spenntel-Hoguel, il descendit dans le parc et vint les rejoindre. Il avait à la main, comme beaucoup de gens, une lanterne qui contenait une chandelle allumée et son visage, ainsi éclairé, paraissait translucide.

— Que pensez-vous de ce spectacle, mes chers amis ? dit-il en s'adressant plutôt à Cécil.

— Eh bien, je dois dire que le ballet est assez ennuyant, dit Cécil. Le véritable spectacle est fourni par les fêtards.

— Vous-même êtes assez comique avec votre lanterne, dit Rozie pour être gentil. Vous avez l'air d'un ange de Noël.

— Ah, j'ai l'air d'un ange, ce soir ! dit le Bouffon. Pourtant, je suis tellement fâché. Rien ne marche comme je voudrais. Vous voyez bien que je ne suis pas capable de faire bouger mes comédiens. C'est terrible !

— Laissez faire les comédiens et venez vous amuser avec nous, dit Cécil. C'est la nuit de Noël, vous n'avez pas besoin pour être heureux qu'une poignée de cabotins vous fasse rire, le rire, vous allez le trouver partout.

— Je ne peux pas rester ici très longtemps, dit le Bouffon. Ils m'attendent pour déballer les cadeaux. Il y a un souper chez le Roi.

— Je vous arrangerai vos pantomimes, dit Cécil. Je vous le promets. À Spenntel-Hoguel, nous sommes spécialistes des pantomimes.

Il avait dit ça par pure bonté, pour faire plaisir à cet Enguerrand qui avait l'air tellement désolé, et le Bouffon le sentit.

— Oui, je vais vous prêter mon théâtre, dit-il. Mais maintenant je dois rentrer. Amusez-vous bien. Il allait partir mais revint tout à coup :

— Vous avez rendez-vous avec le Roi, dit-il à Cécil. La veille du jour de l'an. Vous vous présenterez à deux heures de l'après-midi.

Il partit et Cécil prit tour à tour Rozie et Lyly dans ses bras.

— Joyeux Noël, Rozie, joyeux Noël, Lyly, dit-il.

*

* *

Ils étaient allés s'asseoir sur un banc du parc, à un endroit peu fréquenté d'où on pouvait quand même observer la fête. Au-dessus d'eux, des grands sapins, décorés de guirlandes et de ces mêmes lanternes avec des chandelles à l'intérieur, ployaient leurs branches illuminées. Un petit sentier près d'eux avait l'air de mener à une sorte de chapelle ou de prieuré dont on voyait se dresser les murs de briques austères à quelques pas.

— Qu'est-ce qu'il y a dans ce couvent ? dit Lyly. Est-ce que c'est une chapelle du Roi, croyez-vous, ou bien ces murs abritent peut-être des moines qui doivent nous entendre fêter, derrière les grilles de leur cloître ?

— C'est peut-être un séminaire ? dit Rozie. Peutêtre qu'il y a là-dedans des enfants destinés à devenir prêtres ? Qu'ils doivent s'ennuyer à l'intérieur de ces murs sombres !

— C'est là qu'on va te mettre, Rozie, dit Cécil qui se moquait. J'en ai entendu parler par le Bouffon. C'est dans ce couvent que vivent les gens de science qui enseignent à l'Université. Ils passent leurs journées à recopier des vieux livres. La Comtesse d'Alpenstock veut que tu ailles vivre là, pour que tu sois plus près d'elle et que tu puisses travailler en paix.

— Moi aussi, j'ai entendu parler de ce projet, dit Lyly. Elle s'est entichée de Rozie et c'est bien vrai qu'ils ont parlé d'un couvent pour lui. Que tu vas être bien

62

là-dedans, mon petit Rozie, on ira te voir les jours de parloir, tu vas être traité aux petits soins.

— Et puis tu vas pouvoir enfin faire des études, dit Cécil. On ne te reconnaîtra plus dans quelque temps.

— Qu'est-ce que c'est que cette histoire ? dit le naïf Rozie, qui s'était levé et se plantait tout droit en face de ses amis. Qu'est-ce que c'est que cette histoire de couvent ?

— Tu vas vivre avec les moines, dit Cécil. On ne peut pas toujours te garder avec nous. On ne sait pas toujours quoi faire de toi.

— Tu vas être bien avec les moines, dit Lyly. Que tu vas être bien ! Je connais un Rozie qui va s'en aller gentiment passer le reste de ses ans chez les moinillons.

— Cécil, dit Rozie, tu ne veux quand même pas que je m'en aille chez les prêtres ? Tu ne vas pas laisser faire la Comtesse d'Alpenstock, Cécil ?

— Tu es encore jeune, Rozie, dit Cécil, on va te mettre une grande robe noire et tu vas te plonger dans le latin.

— Tu vas sauter à pieds joints dans le latin et l'italien, renchérit Lyly, comme on saute d'un bâtiment de sept étages, courageusement. Tu t'y feras après quelques mois. On va faire un vrai savant de notre Rozie. Il va devenir évêque un jour, ce n'est pas extraordinaire, ça ?

Rozie avait fait quelques pas vers le mur du couvent et quand Lyly s'approcha de lui pour continuer, il vit qu'il pleurait à chaudes larmes.

— Vous ne devriez pas me dire ça le soir de Noël. Vous auriez dû attendre un autre jour au moins pour m'avertir.

— Pauvre idiot ! dit Lyly qui le ramenait vers le

banc. Pauvre crédule ! Crois-tu vraiment qu'on serait assez imbéciles pour te laisser partir dans un couvent ? Est-ce que tu penses que je pourrais t'abandonner aussi facilement ?

— Cécil, dit Rozie, tu n'avais pas vraiment l'intention de m'abandonner ?

— Mais non, innocent ! dit Cécil. Crois-tu que je n'ai pas de cœur dans la poitrine ? Tu vas rester avec nous, qui d'autre pourrait s'occuper de toi ? Si on te laissait deux jours seul, tu serais capable de faire des folies et de te retrouver en prison.

— C'est vrai, ça, dit Rozie, dont le visage s'était rasséréné.

Cécil avait passé son bras autour des épaules de Rozie.

— Quels drôles de Noëls, dit-il, les Noëls de Varthal ! Je ne sais pas si les gens s'amusent, mais la pantomime était plutôt triste et le Bouffon Enguerrand n'avait pas tellement l'air non plus d'avoir le cœur à la fête. J'ai vu des Noëls si joyeux dans ma vie, dans des lieux autrement plus misérables. Les gens de ces villes prospères ne savent plus s'amuser. Quand les gens crevaient de faim en Avonie, dans le temps, les fêtes de Noël étaient de vrais miracles. On entrait dans ces semaines-là comme dans un pays magique, comme si on avait changé de place, les gens ne parlaient plus que des fées et des lutins qu'ils avaient vus passer sous la table ou près du foyer, la neige tombait en chantant dans un bruit de xylophone, et c'était impossible de reconnaître quelqu'un qu'on avait connu, tellement il était changé par l'événement. On se gavait de pâtisseries, en Avonie, il y avait cinquante sortes de pâtisseries différentes et les rues étaient pleines de cadeaux. On n'avait qu'à se pencher pour les ramasser.

— Si j'ai bonne souvenance, tu exagères beaucoup quand tu parles des cadeaux dans la rue, dit Lyly.

— J'exagère à peine, dit Cécil. Les cadeaux tombaient du ciel avec les étoiles. Je vais te conter une histoire de Noël, Rozie, veux-tu ? La nuit du 25 décembre, il faut toujours éviter de faire pleurer ses amis, et aussi il est bon de raconter des histoires. Celle-ci est parfaitement véridique. Une fois, quand j'avais 15 ou 16 ans et qu'on était quelques heures avant minuit, je m'étais perdu sur un chemin qui allait de l'auberge d'un parent à la maison de mon père. Il neigeait à gros flocons et je n'y voyais plus rien, je marchais avec mes skis dans la neige et je commençais à avoir peur de rater la messe de minuit. Je suis entré dans une forêt, croyant prendre un raccourci, puis je me suis assis contre le tronc d'un gros arbre, m'apercevant que j'étais réellement égaré et que je tournais en rond. J'ai tout à coup entendu un grand bruit de carillons et j'ai vu un cheval qui s'en venait en ouragan et qui tirait un carrosse noir monté sur des patins. Sur le marchepied, il y avait un grand chat blanc tout habillé et coiffé d'un chapeau. Le chat m'a dit qu'il venait me chercher et il m'a ouvert la porte de sa calèche. C'est comme ça que je suis rentré à la maison. Est-ce que tu crois que je serais mort, ce soir-là, sans le chat et son carrosse ?

— C'est une très belle histoire, dit Rozie qui avait décidé de ne pas être crédule cette fois-ci, mais je sais qu'elle n'est pas vraie.

— Elle est pourtant tellement vraie, dit Cécil. Mais je la raconte comme un conte de fées parce que je sais que personne ne me croira. Personne ne m'a jamais cru, et pourtant, c'est exactement ce qui est arrivé. Je m'en rappelle si bien. J'allais mourir dans la neige et je vois encore arriver ce carrosse conduit par le Chat Botté. Je me souviens de sa voix chantante et moqueuse et de la façon dont il m'a ouvert la porte. Je me souviens qu'avant d'arriver en Avonie, on est passés par les rues d'une ville que je ne connaissais pas et dont toutes les façades étaient en acajou. Et tout le long du chemin, le chat chantait en latin, je m'en souviens très bien.

*

*   *

« Joyeux Noël, Enguerrand », dit la Comtesse d'Alpenstock en s'approchant du Fou accroupi au pied du sapin. La Comtesse arrivait avec un gigantesque cadeau enrubanné qu'elle traînait derrière elle dans une wâguine rouge à quatre roues.

— Regarde, Enguerrand, le beau cadeau.

Le Bouffon se jeta sur ses étrennes et arracha rapidement le papier qui recouvrait une grosse boîte de carton plus grande que lui. La Comtesse avait fait fabriquer pour le Fou un énorme livre à couverture luisante dont les pages étaient couvertes de dessins colorés et d'histoires. Il traîna son cadeau dans un coin, on appela des ouvriers pour qu'ils le posent par terre en s'aidant d'une poulie, et Enguerrand se coucha dessus pour lire le premier dessin. Dans la grande salle de fête du château, les quelques invités de Smine se promenaient autour de l'arbre en chantonnant et en déballant leurs étrennes et, de l'escalier, un observateur se serait sûrement amusé à regarder Enguerrand, couché sur son livre deux fois plus grand que lui, qui avait tout oublié de la fête et qui lisait avec la plus grande concentration. Dans sa culotte bouffante bleu pâle, ses bas blancs et son chandail blanc, il avait l'air d'être lui-même, de loin, un des petits personnages pâles de sa bande dessinée qui serait sorti, tout vivant et gigotant, du livre en carton.

— Tu as d'autres cadeaux, Enguerrand, lui dit le Prince Smine en lui caressant les cheveux.

— Je ne veux pas me faire déranger, Smine, dit Enguerrand. Je regarderai les autres plus tard.

Smine, quant à elle, avait reçu du Roi un train électrique qu'il avait fait monter dans le salon avant la fête et dont les rails, s'entrecroisant, traversaient toute la pièce et grimpaient sur les murs où des petites maisonnettes figuraient des villes miniatures. Ce cadeau avait fait le bonheur du Prince et de ses amis et ils étaient tous à jouer avec le gros train. Le Roi vint faire un tour au cours de la soirée pour s'assurer que son cadeau avait été bien choisi. Il était d'excellente humeur. « Pis, Smine, dit-il, jovial, t'es-tu contente, à c't'heure ? Est-ce que tu vas te déchoquer d'avec ton père ? Est-ce que tu vas dire encore que je suis un salaud ? »

— J'y réfléchirai, dit Smine, qui était occupée à monter, avec le Comtesse, un petit village qui escaladerait le piano. J'y réfléchirai soigneusement.

Chapitre V

Rongez des os !

La veille du jour de l'an, Cécil se rendit à la maison royale, pour ce rendez-vous que lui avait procuré le Bouffon. Enguerrand était assis avec le Roi Arteur dans une longue salle sombre du rez-de-chaussée qui, meublée de vieilles tables en bois, devait servir de salle à dîner au Roi et à ses amis quand il était pressé. Les murs étaient décorés de trophées de chasse et deux gros lévriers excités sautèrent sur Cécil à son arrivée.

— Fais-toi z'en pas pour mes chiens, dit le Roi Arteur en s'avançant pour lui serrer la main. Ils sont tranquilles. Ils sont seulement venus te dire bonjour.

— Ce sont de très belles bêtes, dit Cécil qui n'avait pas peur des chiens.

Le Roi l'avait fait asseoir à côté de lui à la table sur laquelle il y avait un pichet de vin rouge et des verres, et le Bouffon était allé s'installer dans un coin de la pièce, à un petit bureau d'où il avait l'intention d'observer l'entretien.

— Servez-vous, dit le Roi. Comme ça, vous êtes un ami de la Comtesse, et vous arrivez d'Italie ? Je vous avertis tout de suite, moi, je me fiche de l'Italie. Je vous reçois parce que ma fille… je vous reçois parce qu'on m'a dit que vous étiez un personnage sympathique, c'est pour ça que je vous reçois.

— Je suis enchanté d'être reçu, dit Cécil qui se demandait ce qu'il faisait là et ce qu'il allait trouver à dire au Roi.

— Je vous répète que le Sieur Cécil fera du théâtre à Varthal, dit le Bouffon, du fond de la pièce.

— Oui. Le théâtre ! dit le Roi. Mon ami, je dois te dire que je ne m'intéresse pas tellement au théâtre non plus.

— Vous aimez la chasse, à ce que je vois, dit Cécil.

— La chasse et la pêche, dit le Roi. Je chasse presque toute l'année. Mes terres sont pleines de gibier. Je suis toujours à la chasse.

— C'est un grand chasseur, dit Enguerrand.

— Et vous êtes certainement aussi très occupé par l'administration de votre pays, dit Cécil. Ça ne vous laisse pas grand temps pour le théâtre.

— Comme tu dis, repartit Arteur. Bien que je confie la presque totalité de ces questions administratives à Rembrondte. C'est Rembrondte qui fait presque tout, n'est-ce pas, Enguerrand ?

— C'est vrai, dit Enguerrand de son coin, le conseiller s'occupe de beaucoup de choses. Il y a aussi la Cour, vous n'avez pas encore parlé du temps que vous passez à régler les problèmes de la Cour.

— C'est ça, la Cour ! dit Arteur. Je ne sais pas ce que vous avez comme Cour au Danemark, mais ici ces questions exigent que j'y dépense une grande partie de mes énergies.

— Le Sieur Cécil va présenter des spectacles à la Cour de Varthal, dit Enguerrand.

— Eh bien, c'est parfait, dit le Roi. Ma Cour raffole des spectacles. Je suis bien content si tu sais faire quelque chose de bon, ajouta-t-il familièrement en donnant une claque sur l'épaule de Cécil, parce que les spectacles qu'on voit ces temps-ci sont mortellement ennuyants. Tu vas donc faire du théâtre pour ma Cour. Enguerrand, est-ce que je vais être obligé d'assister aux spectacles ?

— Majesté, je crois que vous allez assister aux spectacles, dit Enguerrand.

— Tu connais bien l'Italie, à ce qu'on m'a raconté, dit le Roi. Est-ce que tu fais des pièces uniquement italiennes, est-ce que tu sais raconter aussi des histoires de guerre ou des choses du genre ? Moi, je t'avouerai que je m'intéresse davantage aux histoires de guerre.

— Les Rois veulent toujours des histoires de guerre, dit Enguerrand. Est-ce que vous savez faire ça, Cécil, pour faire plaisir à notre Roi de Varthal ?

— Je comprends que les Rois aiment les histoires de guerre, dit Cécil. Ils aiment l'action. Ils aiment qu'on leur mette entre les mains une machinerie d'armées qu'ils dirigent en stratèges, selon les lois de la logistique. Ils sont comme les enfants qui jouent avec des soldats de plomb, ils aiment, sur l'échiquier qu'est la carte du monde, mener leurs campagnes, leurs offensives et leurs retraites, et combiner tous ces combats, du fond d'une calme bibliothèque. C'est un jeu de Roi que la guerre, un jeu qui les désennuie, les longs soirs d'hiver où l'on ne sait quoi inventer.

— Mon doux, que j'aime ça ! dit le Roi. Vous avez bien raison, c'est exactement ce que vous décrivez, l'échiquier et tout le reste.

— Je ne saurais vous parler de la guerre, n'y étant pas allé, dit Cécil. Vous savez, je ne suis qu'un tranquille latiniste et je n'y connais rien à ces histoires d'armées, malheureusement. Mais je suis féru de chasse moi-même, et si on me demandait de décrire des scènes de chasse, cela, je saurais le faire très bien. J'ai chassé à Spenntel-Hoguel et je sais ce que c'est. C'est pourquoi je peux vous dire tout de suite que les chiens que vous avez ici, bien qu'ils soient magnifiques, ne sont pas de bons chiens de chasse.

— Comment, c'est pas des bons chiens de chasse ? dit le Roi. On m'a dit qu'on m'avait donné les meilleurs chiens de chasse du pays.

— Non, prenez celui-là, ici, dit Cécil qui avait attrapé un des chiens, regardez ses pattes, elles sont tordues. C'est parce que vous l'avez mal nourri et il ne sera jamais plus bon pour la chasse. Vous savez ce qu'il faut comme nourriture pour un chien de chasse ? Vous leur donnez de la viande alors qu'ils doivent ronger des os. Vos chiens manquent de calcium. Vous avez besoin de calcium pour chasser. Prenez du calcium trois fois par jour et vous aurez un meilleur poil et une meilleure dentition. La viande est mauvaise pour la chasse et vous ralentit. Elle vous alourdit. Il faut, je le répète, ronger des os, de préférence des os de bœuf. Vous allez peut-être perdre vos chiens, mais, je vous le dis, la prochaine fois, rongez des os de bœuf et vous n'aurez plus ces pattes tordues.

— Ah, j'aurai des pattes droites avec des os de bœuf ?

— Bien sûr, dit Cécil, c'est élémentaire. Et vous allez perdre également cette morve baveuse qui vous coule du nez. On ne dit pas qu'on a un très beau chien quand on a un chien pareil. Au Danemark, d'après ce que je peux voir, on soigne nos chiens beaucoup mieux qu'on ne le fait ici. Vous ne voyez pas cette bave immonde qui vous coule de cette bouche épaisse ? C'est un signe certain de maladie et de décadence.

— Ah, tu entends ça, Enguerrand, mes chiens sont malades. Je dois trouver des os.

— Mangez des os frais, des os secs, des os apprêtés à différentes sauces, s'il le faut, mais mangez des os. Vous avez besoin des os plus que de toute autre chose si vous voulez être un bon chien de chasse. C'est indispensable. On dit ça tous les jours au Danemark, chez les spécialistes de la chasse.

— Mangez des os, dit le Roi distraitement.

— C'est la seule nourriture. Vous aurez un bon repas si vous avez des bons os. Je suis certain de ce que j'affirme. Vous aurez des chasses bien plus intéressantes si vous faites ce que je vous dis. Vous serez surpris vous-même.

— Majesté, nous mangerons des os, dit le Bouffon. Dès demain nous mangerons des os.

— Je suis content que vous en connaissiez tant sur les chiens, dit le Roi. Là, vous me faites plaisir. Je suis content qu'Enguerrand vous ait amené pour me parler ainsi.

— C'est un grand plaisir pour moi aussi, dit Cécil. N'en doutez pas.

— Je m'en vais m'acheter de nouveaux chiens dès demain, dit le Roi. Et vous viendrez me voir encore pour me dire si je les ai bien nourris.

— Je vais revenir m'en occuper, dit Cécil, j'adore m'occuper des chiens de chasse.

— Eh bien, c'est une personne agréable que vous m'avez présentée là, Enguerrand, dit le Roi.

— C'est un bon conseiller, dit Enguerrand.

Le Roi les quitta parce qu'il allait faire un somme, et le Bouffon Enguerrand proposa à Cécil de le ramener chez lui.

— Je voudrais vous parler un peu, dit-il en prenant Cécil par les épaules. Cette histoire de chasse m'a vivement intéressé.

Ils étaient dans les rues du marché qu'avaient tellement arpentées nos amis ces derniers temps.

— Vous vous habituez à notre chère ville de Varthal ? demanda Enguerrand.

— Tout à fait, dit Cécil. Nous nous y sommes habitués très rapidement. Beaucoup plus rapidement que je n'avais prévu. Je suis à l'aise dans cette ville comme si j'y avais vécu toute ma vie. Pourtant, je viens d'arriver.

— Les gens vous ont sauté dessus, ne trouvez-vous pas ? J'ai l'impression que vous avez séduit tout le monde dès votre arrivée.

— Oui, dit Cécil, c'est très étrange. Il regarda le Bouffon droit dans les yeux. Vous savez, je pensais bien travailler dans cette ville et m'y installer, mais je n'avais pas pensé que cette installation se ferait si facilement. C'est parce que nous avons la chance d'arriver d'Italie, n'est-ce pas ?

— Il y a l'Italie, très certainement, dit le Bouffon. Mais autre chose aussi. Mais laissons cela. Dites-moi donc quels sont vos projets. Avez-vous l'intention de passer toute votre vie à Varthal ?

— Je n'ai jamais pensé que je resterais ici toute ma vie, dit Cécil. Vous m'en parlez et je m'aperçois avec stupéfaction que cela est possible, en effet. Je pensais passer quelques années ici, c'est certain, puis aller ailleurs. Vous savez, je suis un homme qui aime voyager. On me parle d'un pays que je ne connais pas et, tout à coup, il me prend l'envie de m'y rendre. Chaque fois que je suis arrivé dans un endroit qui me plaisait, j'ai voulu y rester définitivement, j'ai pensé que j'allais vivre le restant de mes jours à cet endroit, puis le goût de voyager me reprenait. De sorte que je ne me fie plus tellement à mes premières impressions, lorsque j'arrive quelque part. Je pourrais vous dire que je veux vivre à Varthal toute ma vie, et je serais convaincu de cela sur le moment. Mais qui peut dire ce que je ferai dans cinq ans ?

— Mais maintenant, vous allez vous occuper de mon théâtre, vous me l'avez promis. Vous vous souvenez de ce que vous m'avez dit le soir de Noël, que vous alliez arranger mon théâtre ?

— Je vous l'ai dit, répondit Cécil, et je vais le faire vraiment, parce que ça m'intéresse. Très sincèrement, je suis fou de ça. J'ai toujours fait du théâtre, partout où je suis allé.

— Comment vous est venu ce goût du théâtre ?

— Ça m'est venu dans les auberges, le long de la route de plusieurs pays, dans les auberges en regardant des numéros de comédiens ambulants. À la fin de la nuit, quand tout le monde est ivre et qu'il n'y a plus d'argent à gagner, on voit des drôles de numéros. Les gens font alors un théâtre étrange et fou, on voit le patron de l'auberge s'y mettre aussi, avec sa compagnie d'ivrognes, et c'est un curieux spectacle à observer, ces gens de petits cantons pauvres, qui ont toujours à guetter la maladie et la misère, et qui se mettent à mimer les bouffons. Le théâtre est alors contagieux, instinctif pour ainsi dire. Vous-même, Enguerrand, comment êtes-vous devenu le grand superviseur des fêtes ?

— Je suis un lointain parent de la Comtesse d'Alpenstock, dit le Bouffon. J'ai été élevé à la campagne, modestement, parce que mes parents étaient ruinés et qu'on ne pouvait se faire aider par le Roi de l'époque, mon père ayant eu une querelle avec lui sur une question religieuse. J'étais un enfant anormal, fou comme on dit habituellement, et, vers l'adolescence, je me suis aperçu que j'avais le choix entre le personnage du doux idiot qui court les campagnes et que méprise tout le monde, et celui du sorcier furieux qu'on met aux fers dans un asile à vingt ans parce qu'on a peur qu'il nous apporte la peste, ou qu'on brûle sur un bûcher. Je suis venu alors à Varthal où Arteur, neveu du précédent Roi, venait d'être couronné, et, sur une recommandation de la Comtesse d'Alpenstock, je suis devenu son Bouffon. Depuis, j'ai toujours été bien traité. D'abord j'ai été pris en amitié par le Prince Smine, puis on m'a progressivement confié les diverses charges que j'ai maintenant. Voilà toute mon histoire, mon cher Cécil.

— Et, puis-je me permettre d'être indiscret, est-ce que vous pensez toujours que vous êtes fou ?

— Qu'est-ce que la folie ? dit le Bouffon. La folie existe, ainsi nommée en province ou sous les ponts de cette ville, dans la disgrâce et l'indigence. À la Cour, le mot folie perd son sens répugnant et devient le don, la bénédiction de l'esprit créateur. Voilà la vérité. Et il me semble que cet esprit créateur, jouissant d'une telle faveur, y perd sa folie peu à peu.

— C'est dommage de perdre la folie, dit Cécil.

— Je ne suis pas mécontent de l'avoir perdue, dit le Bouffon. Je ne dis pas que diminuent à la longue les facultés créatrices, je dis que diminue la folie à laquelle on nous avait condamnés.

— C'est une bien drôle d'aventure, dit Cécil.

Ils étaient arrivés à l'auberge du Cheval-qui-rit et Enguerrand désirait voir comment étaient installés ses nouveaux amis. « Je vous avertis que c'est presque la misère », avait prévenu Cécil. L'aubergiste avait casé les trois seigneurs de Spenntel-Hoguel au dernier étage de cette grosse maison, dans des chambres contiguës. Rozie et Lyly étant sortis, leurs portes étaient fermées à clef, mais le Bouffon put quand même voir celle de Cécil.

C'était une pièce légèrement mansardée, plus longue que large, assez vaste et bien éclairée par trois petites lucarnes. Il y avait un lit étroit dans un coin et, à l'autre bout de la chambre, deux fauteuils rembourrés en face d'une table et d'un bureau. Tout était en ordre et avait l'air inhabité.

— Eh bien ! dit le Bouffon. Est-ce que toutes les autres chambres sont comme celle-ci ? On dirait que vous ne vivez pas ici.

— C'est une chambre d'auberge, dit Cécil. Ils viennent faire le ménage tous les jours. Pour tout vous dire, je ne suis pas tellement attaché à cette chambre, habitué comme je suis à déménager. Nous venons là pour dormir uniquement, et pour les repas. Le reste du temps, j'explore la ville.

— Je ne pourrais pas vivre dans un endroit aussi petit, dit le Bouffon. J'étoufferais. J'ai besoin de beaucoup d'espace.

— Nous sommes toujours dans la rue, dit Cécil. Notre véritable espace est cette ville, actuellement.

Le Bouffon s'était immédiatement assis dans un des fauteuils brodés et, serrant sur lui son manteau d'hermine, n'avait pas l'air de vouloir s'en aller. Cécil, de la porte, voyait sa tête tressée aux traits délicats et boudeurs au-dessus de la fourrure blanche, qui fixait de son regard bleu la lucarne en face de lui d'un air complètement désemparé.

— Vous pouvez rester si vous voulez, dit-il. Je vais demander qu'on nous apporte quelque chose à boire.

Il descendit voir l'aubergiste, parce qu'il n'y avait pas de sonnette, et s'assit ensuite en face d'Enguerrand qui regardait toujours la lucarne sans parler.

— Vous allez faire ça la semaine prochaine, dit soudainement Enguerrand. Vous allez monter votre première pièce la semaine prochaine.

— Ce n'est pas ainsi que je me suis organisé avec Chazel, dit Cécil. Je dois monter un spectacle en février.

— J'ai changé d'idée, dit Enguerrand. Nous allons le faire dès la semaine prochaine. Vous écrirez tous les jours et nous monterons le spectacle au fur et à mesure en utilisant ce que vous aurez déjà écrit.

— Je peux faire ça, si c'est ce que vous voulez, dit Cécil, conciliant.

La femme de l'aubergiste apporta de la bière et des tasses puis se retira. Le soir tombait rapidement et Cécil alluma le chandelier.

— Vous souvenez-vous, dit-il à Enguerrand, de la première visite de Rozie chez vous ? Il me l'a racontée en détail. Vous ne vouliez voir personne, vous avez pleuré en le voyant.

— J'ai changé d'idée, dit le Bouffon durement. Il se leva et déclara qu'il s'en allait. « Je vous reverrai chez Chazel la semaine prochaine, ajouta-t-il, soudain très froid, d'ici là je vous prierais d'écrire beaucoup. »

Chapitre VI

Une rencontre sous les ponts

Lyly, qui avait poussé ce jour-là son exploration de la ville plus loin que d'habitude, se promenait le long du port et regardait les bateaux. Il était en train d'admirer un grand vaisseau de la flotte du Roi, qui glissait doucement sur le fleuve, quand il se sentit assailli par derrière. Il réagit instinctivement, comme s'il était attaqué, et voulut donner un coup à son adversaire, mais il s'aperçut, heureusement à temps, que cet assaillant était une femme, qui le regardait en riant.

— Est-ce que tu te souviens de moi ? demanda-t-elle avec un grand sourire.

— Comédie ! dit Lyly. Bien sûr que je me rappelle de toi. Mais ça m'étonne que tu t'en souviennes toi-même.

La jeune femme était vêtue du même manteau sale que le soir de Noël et son visage barbouillé indiquait qu'elle n'avait pas dû se laver depuis un bon bout de temps. Elle avait l'air très gaie.

— Tu crois que j'avais bu, hein ? dit-elle. Je n'avais pas dormi depuis deux jours et j'étais tellement excitée par la fête… J'habite par ici, ajouta-t-elle en prenant le bras de Lyly. Viens faire un tour chez moi.

Il la suivit le long des rues sales qui abritaient une population mendiante, juste sous le pont de Varthal.

Comédie l'introduisit dans une très vieille maison construite de planches mal équarries et dont le plancher était en pente. À l'intérieur il faisait noir comme chez le diable et une odeur insupportable de nourriture pourrie le saisit à la gorge. Elle alluma quelques chandelles et il put voir qu'il se trouvait dans une pièce exiguë et glaciale au plafond bas. Il y avait des couvertures sales sur une paillasse, dans un coin, et Comédie sauta dessus et s'en enveloppa.

— Fais comme moi, dit-elle. Prends une couverture parce que tu vas avoir trop froid.

— C'est ici que tu vis ? demanda Lyly. Est-ce que tu es toute seule ?

— Oui, je suis seule, dit Comédie. Mais je suis la nièce de Mississipi Free, la femme que tu as vue l'autre jour. C'est elle qui s'occupe de moi quand j'ai besoin de quelque chose.

— Comment tu fais pour vivre ici ? dit Lyly. J'ai vu des endroits terribles dans ma vie, mais je n'ai encore jamais rien vu d'aussi misérable que cette maison d'une seule pièce dont les murs ne sont pas à angle droit. Comment fais-tu pour supporter l'humidité d'abord ? Le fleuve est juste à côté. Pourquoi tu n'as pas essayé de te loger ailleurs ?

— J'ai toujours vécu ici, dit Comédie. C'est mon quartier. Je suis née dans ce quartier et j'y suis habituée. J'aime vivre au bord du fleuve. Quand il fait froid, tu t'enveloppes dans ces couvertures et tu es très bien.

— Il doit y avoir des rats, dit Lyly qui frissonnait. Tu vas attraper la peste.

— Ici nous n'attrapons pas la peste, dit Comédie. Nous la propageons mais ne l'attrapons pas nous-mêmes.

— Tu veux dire que tu vas me donner la peste ? dit Lyly.

— Je n'ai rien dit, imbécile, dit Comédie. Toi, tu as peur de la peste, Lyly ?

Il s'était assis sur le pas de la porte entrouverte et réfléchissait, le menton dans sa main.

— Qu'est-ce que vous faites pour vivre ? demanda-t-il après un moment.

— On mendie, et puis on vole, répondit la jeune fille, et puis on joue de la musique et on chante dans les rues. C'est la meilleure vie. Elle était étendue sur sa paillasse, avec deux ou trois couvertures sur elle, et elle riait tout le temps.

— Vous êtes à l'auberge du Cheval-qui-rit, dit-elle, je le sais, quelqu'un me l'a dit. Vous venez d'arriver à Varthal et vous allez faire du théâtre chez Chazel.

— Comment l'as-tu su ? demanda Lyly.

— Je l'ai su par les comédiens. Moi, je pourrais aussi jongler et marcher sur une corde, je sais faire ça. Mais je ne voudrais travailler pour rien au monde chez Chazel.

— Je ne suis pas un comédien, dit Lyly.

— Je sais ça aussi, dit la jeune fille. Elle se leva et vint s'asseoir à côté de lui sur le pas de la porte, toujours enveloppée dans ses couvertures.

— C'est moi, Comédie, qui règne sur la ville, dit-elle tout bas. C'est moi le Roi de Varthal.

— Je m'en doute, dit Lyly, tu as l'air du Roi de Varthal en personne.

— Tu ne sais pas comment ça se passe ici, dit Comédie qui tenait à son idée. C'est nous qui décidons de toutes les questions importantes.

— On voit tout de suite que vous avez un grand pouvoir de décision, dit Lyly.

— Je donne les ordres, dit Comédie, ensuite

Mississipi Free les communique au Roi en passant par le Bouffon Enguerrand.

— Bien sûr, dit Lyly. Je parie que tu n'as même jamais rencontré le Bouffon. Tu n'as pas eu le temps, avec tous ces ordres qu'il fallait que tu donnes à Mississipi Free.

— Toi, est-ce que tu as déjà rencontré Enguerrand ?

— C'est mon grand ami, dit Lyly.

— Je ne peux pas le voir en peinture, dit Comédie avec une lippe boudeuse. Tu ne devrais pas te tenir avec des gens pareils, ils vont te donner des maladies de peau.

— Pourquoi des maladies de peau ?

— Il a une maladie de la peau, dit Comédie. Il est blanc comme un drap, c'est un grand malade. Tu devrais faire du théâtre pour moi. Je t'engagerais dans ma compagnie. Je te traiterais bien et tu serais en meilleure santé.

— Toi, tu es une spécialiste de la santé, dit Lyly.

Elle se tassait contre lui dans l'embrasure de la porte et ils avaient les pieds dans la neige fondante. Comédie prit la grosse main de Lyly dans les siennes et se mit à la caresser.

— Est-ce que tu vas m'acheter un chapeau avec des fleurs ? demanda-t-elle.

— Bien sûr, dit Lyly qui avait la gorge serrée. Je vais t'en acheter un le plus tôt possible. Ce sera ton cadeau de Noël, même s'il arrive avec un peu de retard. Est-ce que tu veux un chapeau avec des vraies fleurs ?

— Non, pas avec des vraies fleurs, idiot, dit Comédie. Je veux un chapeau avec des cerises rouges en bois et des feuilles en tissu. C'est la grande mode actuellement. Ils ont des tulipes qui tombent de chaque côté du visage et des grosses roses sur les oreilles comme des pompons. Je veux ce chapeau-là.

— Je vais te l'apporter, dit Rozie. C'est promis. Tu vas être belle avec un chapeau comme celui-là.

— N'est-ce pas ? dit Comédie.

Elle planta son petit visage crasseux en face du sien.

— Est-ce que tu trouves que je suis belle ? demanda-t-elle.

— Oui, tu es une vraie merveille, dit Lyly, j'ai rarement vu quelqu'un d'aussi beau.

Il ne mentait pas vraiment. Bien que sale et dépeignée, la jeune femme avait des traits délicats, et son expression, dont elle se souciait peu, spontanée et enfantine, était tout à fait attendrissante.

— Ce n'est pas vrai, tu dis ça pour me faire plaisir, dit-elle. Tu penses que je suis laide comme une vermine.

— Mais non, je pense que tu es extrêmement belle, dit Lyly. Tu as dû te regarder dans un miroir, tu dois le savoir. Et puis des gens ont déjà dû te le dire. Moi, je trouve ça très beau.

— Plus belle qu'Enguerrand ? demanda-t-elle.

— Oh oui, beaucoup plus belle qu'Enguerrand.

— Il est joli, Enguerrand, hein ? Trouves-tu qu'il est un peu joli ?

— Oui, il est assez bien, dit Lyly.

— On peut lui donner ça, qu'il a une belle petite frimousse, dit Comédie. Bien qu'il soit si déplaisant et si livide, il est quand même assez beau. Mais moi, je suis beaucoup plus belle qu'Enguerrand, je suis la plus belle personne dans cette ville, sans blague.

— C'est bien mon avis, dit Lyly gentiment.

— Et toi, ma parole, tu es vraiment affreux. Tu n'as pas de chance. Tu n'es pas très gracieux. Elle avança sa main vers le ventre de Lyly, souleva sa chemise et saisit un gros bourrelet de graisse. « Tu es poilu comme un ours, pouaf !... c'est dégoûtant. Ensuite tu es trop gras, qu'est-ce que tu manges pour être gras comme ça ? »

— Je mange trop de pâtisseries, dit Lyly avec une petite grimace comique.

— Et puis ta peau est trop foncée, moi, je n'aime pas les peaux foncées. Ensuite, tu es presque de ma grandeur et tu as le dos tellement rond que tu as presque une bosse. Qu'est-ce qu'on peut faire dans la vie quand on est laid à ce point-là ? Et puis ta barbe est trop forte, ajouta-t-elle en passant sa main sur le visage de Lyly, tu n'as vraiment rien de beau, ma parole !

Lyly la regarda et lui fit un clin d'œil.

— Je vais aller me jeter en bas du pont, dit-il. Je suis trop laid pour vivre, c'est toi qui as raison. Quand je vais te laisser, j'irai tout de suite me jeter du pont de Varthal dans le fleuve.

— Non, dit Comédie qui avait jeté ses bras autour du cou de Lyly. Ne va pas te jeter en bas du pont de Varthal, Lyly, tu es bien assez beau. Elle l'embrassait sur les joues comme la première fois qu'il l'avait vue. Je disais ça pour rire. Tu es si magnifique, tu as l'air d'un arbre de Noël.

— Oh, j'ai l'air d'un gros méchant loup, dit Lyly qui, la tête appuyée à l'encadrement de la porte, faisait semblant d'être dépité. Je sais bien que tout le monde est plus mignon que moi et que je n'ai aucun charme. Personne ne peut m'aimer. Aucune femme n'est jamais amoureuse de moi. Tu vois cet endroit sur le pont, en plein milieu, là où il y a un fanal la nuit, c'est de là que je vais me jeter dans le fleuve.

— Lyly, tu es tellement incroyablement beau, dit Comédie vivement, tu es beau à couper le souffle.

— Ah, tu crois ? dit Lyly tristement. Rien du tout.

Tu dis ça pour me consoler. Il leva sa chemise et dégagea sa bedaine. Que c'est laid, dit-il, je suis découragé. Puis il se leva et alla mirer son visage dans une flaque d'eau. Un vrai crapaud, dit-il en revenant s'asseoir. Et mes cuisses sont si laides aussi, si grosses et musclées, vous autres vous n'avez pas ces grosses cuisses.

Ses cuisses étaient écrasées sur le pas de la porte et ses muscles saillaient de son pantalon trop serré. Il avait les jambes écartées et les considérait avec une moue piteuse. « Hein, qu'est-ce que tu penses de ça, Comédie, pour les cuisses ? »

Comédie lui lança un petit regard de côté. Elle était en train de s'apercevoir qu'il se moquait d'elle. Il la saisit brusquement par la taille et, la serrant fortement contre lui, il éclata de rire :

— Hein ! tu trouves que j'ai des belles cuisses, Comédie. Hein ? Tu ne peux pas dire le contraire. Tu as rarement vu d'aussi belles cuisses que celles-là, avoue-le !

— Tu plaisantes, dit Comédie qui se débattait furieusement.

Elle se dégagea et s'enfuit en courant dans la petite rue. Lorsqu'elle fut à une centaine de pas, elle cria à Lyly, qui était resté sur le pas de la porte :

— Bossu ! Nain !

— Je ne t'achèterai pas ton chapeau, dit Lyly.

— Je ne veux pas de chapeau, cria-t-elle encore. Je vais me le faire acheter par quelqu'un d'autre.

— Si tu ne reviens pas, je vais aller me jeter en bas du pont, dit Lyly en se levant. J'y vais tout de suite. Regarde-moi. Tu vas être responsable de ma mort.

— Bon débarras ! dit Comédie.

La vieille mendiante que Lyly avait déjà rencontrée à l'église sortit d'une maison voisine.

— Qu'est-ce qui se passe ? dit-elle en s'approchant de Lyly. Est-ce que vous êtes en train de faire des problèmes à ma petite fille ?

— C'est vous qui allez régler le différend, dit Lyly en la prenant par l'épaule. Mississipi Free, vous allez me dire si j'ai des belles cuisses ou non.

— C'est un pou. Dis-lui que c'est un pou, cria Comédie qui était encore au bout de la rue.

— Il ne faut pas que tu l'écoutes, dit Mississipi Free à Lyly, elle est un peu fêlée. Dis comme elle et elle va te laisser tranquille.

— Qu'est-ce qu'elle dit ? cria Comédie.

— Elle dit que je suis plus beau que le Bouffon Enguerrand, cria Lyly.

Il partit à sa poursuite, croyant l'attraper facilement, mais Comédie détala et il s'aperçut vite qu'elle courait aussi rapidement qu'un petit chat. Il courut à sa suite le long d'un labyrinthe de ruelles et de fonds de cour et réussit finalement à la coincer dans l'embrasure d'une porte, alors qu'ils étaient presque arrivés au marché.

— J'aurais pu facilement te semer, dit Comédie. Si je ne l'ai pas fait, c'est par pure bonté. Pour que tu n'ailles pas te noyer.

— Je ne vais plus te laisser partir, dit Lyly. Je vais te ficeler comme un saucisson et t'amener chez moi où tu seras obligée de me dire cent fois par jour à quel point tu me trouves charmant. Est-ce que tu aimerais vivre avec moi ?

— Non, dit Comédie, j'ai bien assez de m'occuper de moi-même.

— Tu préfères vivre comme tu le fais maintenant ? Tu veux vivre là-bas toute ta vie ?

— Oui, répondit-elle. Je ne veux pas que ça change.

Il l'avait lâchée et elle lui dit qu'elle voulait s'en retourner chez elle mais qu'il devait lui apporter son chapeau le lendemain ou le surlendemain. Il la regarda s'éloigner, légère dans son manteau trop mince, elle se retourna pour lui faire un petit sourire, puis il prit lentement le chemin de son auberge.

*

* *

La porte de la chambre de Cécil était entrouverte et Lyly entra sans frapper.

— Qu'est-ce que tu fais là ? dit-il. Je ne t'ai pas vu depuis trois jours. Tu devrais sortir, tu n'as pas vu le temps qu'il fait.

— Lyly ! Je suis content de te voir ! dit Cécil qui était assis à son petit bureau. Il faut que tu viennes m'aider, je dois écrire cette pièce de théâtre pour Enguerrand. Je croyais que j'avais jusqu'au mois de février pour le faire et on vient de me dire que la pièce serait montée dès la semaine prochaine. J'y travaille jour et nuit depuis quelques jours et je suis épuisé.

— Jour et nuit ? dit Lyly avec un petit sifflement. Qu'est-ce qui t'arrive ? Es-tu en train de te transformer soudainement en vaillant scribe de la Cour de Varthal ? Tu pourrais en écrire quelques pages et faire la suite la semaine prochaine. Ils seront bien assez contents si tu as le début.

— Eh bien, je n'ai pas travaillé exactement « jour et nuit », je suis allé me promener aussi, mais j'ai quand même travaillé comme un forçat. Je veux qu'Enguerrand soit content.

— Pourquoi donc ?

— Laisse-moi faire, dit Cécil. Tu ne connais pas le théâtre comme moi. Je suis sûr que je peux faire réellement quelque chose d'intéressant pour le théâtre d'Enguerrand. Et puis ça lui fera plaisir. Je commence à le trouver vraiment sympathique.

— Sympathique ! dit Lyly. En tout cas, tu fais comme tu veux. Et qu'est-ce que je peux faire pour t'aider ?

— Est-ce que tu es allé à la bibliothèque comme je te l'avais demandé il y a quelques jours ?

— Oui, dit Lyly. J'ai trouvé un vieux livre qui a l'air de résumer à peu près ce qu'ils ont fait à Varthal. Il sortit et revint bientôt avec un bouquin. Ils ont une théorie très précise qu'ils ont appelée eupheuisme. Leur style se caractérise par une affectation et un maniérisme qui leur paraît à eux le comble du raffinement.

— Ah, dit Cécil en prenant le livre, et moi qui suis en train de faire parler des brigands et des gueux depuis une vingtaine d'heures. Montre-moi donc ce livre.

Il se jeta sur son lit et se mit à feuilleter le bouquin alors que Lyly lisait les premiers feuillets de la pièce de théâtre.

— Ça ne fera pas l'affaire, j'en ai bien peur, dit Lyly. C'est assez drôle, et cette pièce pourrait avoir du succès si on était encore en Avonie. C'est probablement meilleur que ce qu'ils font ici. Mais leur sensibilité n'est pas habituée à un style comme celui-ci.

Rozie entrait et Cécil l'apostropha tout de suite.

— Rozie, j'ai une colle. Je dois écrire pour Enguerrand une pièce de théâtre dans un style maniéré, qu'on appelle eupheuisme, et on me demande le tour de force de faire du bon théâtre en plus. Comment vais-je m'y prendre ?

— Qu'est-ce que c'est ? dit Rozie qui aimait les

colles. Qu'est-ce que veut Enguerrand ? Tu sais faire du bon théâtre, quel est le problème ?

— Je te dis que la mode est au théâtre affecté, nous n'avons pas le choix, ils ne font que ça. Ils n'aimeraient pas autre chose.

— Eh bien, tu n'as qu'à être maniéré, dit Rozie. Je ne comprends pas pourquoi tu ne peux pas être maniéré, tu sais faire ça, quand même.

— Oui, idiot, mais la question est que je veux, entends-tu, je veux réellement faire du bon théâtre. Comment peut-on être maniéré et affecté et faire du bon théâtre ? Voilà tout le problème. Où trouver la réalité dans un style pareil ?

— Je le sais, dit Rozie. Je l'ai sur le bout de la langue. Il m'est arrivé dernièrement de me trouver confronté à un tel problème. Un instant, l'idée va germer dans mon cerveau et je vais la voir apparaître. Voilà ! ça y est ! Tu n'as qu'à nettoyer ton style de ses médiocres bouffonneries, tu vois ce que je veux dire, tu élimineras préalablement toutes les expressions triviales qui pourraient choquer ces esprits fins. Remplace également par des noms de rois et de personnages historiques et mythiques les noms de tes brigands et tenanciers d'auberge. Lorsque tu auras fait cela, il sera parfaitement inutile d'en faire davantage. Tu procéderas comme d'habitude et tu leur donneras ta pièce comme un exemple d'eupheuisme. Tu diras : voilà un petit texte un peu maniéré que je vous amène aujourd'hui, et j'espère que son affectation ne vous paraîtra pas exagérée. Ils n'y verront que du feu et le prendront pour le texte maniéré qu'il n'est pas en réalité. Je les connais, ils ne sont pas très subtils. Et tout le monde sera satisfait du résultat. Tu garderas tous tes gueux et tu leur donneras des noms de seigneurs, comme nous l'avons fait nous-mêmes à notre arrivée dans cette ville. Cela ne trompera pas tes comédiens qui sauront jouer ces personnages plus facilement. Et tu vas sauver ta langue, ce qui est quand même important, mon cher Cécil.

— Excellente idée, dit Cécil. Nous ferons de l'avonien et tout le monde croira que c'est de l'italien. Nous allons le faire immédiatement pour ce texte-ci.

Il se jeta sur ses feuillets et biffa quelques mots de la première page, puis il remplaça les noms de personnages et de lieux.

— Oui, après tout, dit-il, cette histoire peut bien se passer en Grèce au temps d'Alexandre, qu'est-ce que ça change et qui connaît la Grèce ?

Il prit le nouveau texte et le lut à haute voix.

— Ça ne ressemble pas tellement aux exemples eupheuistes proposés, dit Lyly. Bien que ce soit moins évident, c'est encore ce que nous avons l'habitude de faire sur les routes.

— C'est parfait, dit Rozie. Je te dis que c'est parfait, Cécil. Ils vont en raffoler. Il n'y a plus rien à changer. Tu vas leur dire que c'est le théâtre qui se fait dans le sud de l'Italie. Tu appelleras ça le style néo-eupheuiste. Je les connais, ils vont dire que c'est superbe.

— Tu crois, dit Cécil, tu crois vraiment qu'ils vont gober que c'est eupheuiste ?

— Ce sera eupheuiste si on le veut, dit Lyly. Après tout, c'est bien toi qui vas écrire pour ce théâtre. Tu peux bien imposer la manière que tu veux. Si tu dis que c'est de l'eupheuisme, ils vont dire de même, c'est toi qui décides, en somme.

— C'est exactement ça, dit Rozie. C'est exactement ce que je voulais dire. C'est Cécil qui décide en fin de compte. C'est ce que j'avais sur le bout de la langue.

— De toute façon, dit Cécil, on va leur donner ce dont ils ont besoin et non pas ce qu'ils veulent. Parce que ce qu'ils veulent est ridicule et qu'ils n'en ont pas besoin. On va les accommoder au mieux de nos talents artistiques, qu'est-ce qu'ils peuvent désirer de plus ?

— Bientôt ils seront tous aussi maniérés que toi et moi, dit Rozie en éclatant de rire.

— Ces gens de Cour vont devenir affectés comme notre canaille de Lyly, dit Cécil.

Chapitre VII

Une visite

« Enguerrand, viens faire un tour, dit le Prince Smine au téléphone. Je voudrais te voir. Je ne sais pas quoi faire de ma peau. Je suis triste. »

— Je vais venir dans une heure, dit Enguerrand. Je finis mes exercices de harpe et j'arrive.

Il expédia en vitesse son travail de la journée et courut au palais du parc. Le Prince était couchée sur son lit et tournait le dos au visiteur.

— Qu'est-ce qu'il y a qui ne va pas ? dit Enguerrand en s'assoyant en tailleur sur le tapis.

— Rien ne va, dit Smine sans se retourner. Oh ! je voudrais rester dans ce lit jusqu'à la fin de mes jours et seulement dormir. Je suis tellement malheureuse.

— C'est ton capitaine qui t'a mise dans un état pareil ?

— C'est lui, ce n'est pas lui, dit Smine, rien ne marche jamais. Je suis complètement découragée.

— Et qu'est-ce qui s'est passé avec le capitaine ?

— Rien. Je lui ai parlé un peu et j'ai cessé subitement de m'y intéresser. J'ai une maladie, je ne peux aimer les gens plus longtemps que dix jours. Je souffre d'apathie.

— J'espère que ce n'est pas contagieux, dit Enguerrand. Mais tu devrais t'intéresser aux gens de

Spenntel-Hoguel, comme tout le monde. Ceux-là sont très distrayants et c'est assez rare par les temps qui courent. Je suis convaincu que tu ne te lasserais pas d'eux très facilement.

— Tu as le même tempérament que la Comtesse, finalement, dit Smine qui s'était enfin retournée et avait allumé une cigarette. Tu vas finir ta vie dans une vieille bibliothèque poussiéreuse.

— Tu devrais te lever et venir te promener avec moi, dit Enguerrand. On pourrait essayer de trouver nos amis à leur auberge, il fait soleil et la neige est presque en train de fondre. Tu devrais te secouer au lieu de rester dans ton lit comme ça à te déprimer toute seule.

— Je n'ai pas envie de voir ces gens-là, dit Smine. C'est trop compliqué. À la seule idée de devoir me rendre jusqu'à cette auberge, je perds en cours de route le peu d'envie que j'ai de les voir.

Mais Enguerrand était en forme ce jour-là, il se sentait particulièrement énergique et il tiraillait le Prince jusqu'à ce qu'elle soit forcée de sortir de son lit. Il l'habilla lui-même de ses bottes et de son manteau d'hiver, lui mit une grosse toque en fourrure blanche sur la tête et la traîna dans la rue.

— Voilà, dit-il. J'ai fait des efforts pour deux. Maintenant tu n'as plus qu'à marcher jusqu'à cette auberge du Cheval-qui-rit.

Smine, une fois dehors en plein soleil, se sentait ragaillardie, et ils s'en allèrent gaiement chez ceux qu'ils appelaient entre eux « Les Italiens ». Enguerrand était un peu mal à l'aise d'avoir pris cette initiative d'aller trouver Cécil parce qu'il avait l'habitude d'être extrêmement indépendant dans toutes ses relations avec autrui et qu'il craignait particulièrement d'afficher la bonne opinion qu'il avait des voyageurs. Pour le Bouffon, l'arrivée de Cécil et de ses amis, qu'il avait facilement devinés sous leurs déguisements de seigneurs de Spenntel-Hoguel, cette arrivée impromptue dans sa ville tranquille avait été un véritable miracle et il tenait beaucoup à ce que les choses se passent de telle sorte qu'ils restent à Varthal. Il avait l'intention de leur confier de grosses responsabilités théâtrales et désirait superviser tout ça de loin, sans qu'on s'en rende trop compte. De plus, il se sentait vaguement complice de ces brigands et cette idée le comblait de bonheur. Voilà pourquoi, lui-même transformé en filou, il voulait que son opinion sur les arrivants demeurât secrète autant que possible, et son amitié, discrète.

Cécil était à son bureau, évidemment, en train de travailler. Rozie, assis très sérieusement, le dos bien droit, un crayon à la main, à côté de son ami, relisait et corrigeait le texte.

— Je vois que vous êtes en train de travailler, dit Enguerrand en entrant, je ne veux pas vous déranger. Le Prince Smine, que voici, désirait vous connaître et, comme nous passions près d'ici, j'ai pensé l'amener une minute.

— Très heureux, dit Cecil en se levant et en serrant la main du Prince, imité immédiatement par Rozie. Il lui désigna le fauteuil libre de la main. Comme vous le voyez, continua-t-il, j'ai commencé mon travail immédiatement, puisque vous me l'aviez demandé avec tant d'insistance. Je crois que vous allez être content du résultat.

Enguerrand consulta distraitement le paquet de feuilles sur le bureau puis s'assit sur le lit, les mains croisées :

— Mais nous allons jaser un peu, voulez-vous ?
dit-il. Je vous ai amené Smine pour qu'on discute calmement de choses et d'autres. Elle ne s'intéresse pas au
théâtre.

Le Prince, un peu gênée et tassée dans son fauteuil,
regardait les étrangers avec une grande curiosité. Elle ne
s'attendait pas à découvrir à ces savants des physionomies
aussi singulières. Cécil prit sur son bureau une petite
bonbonnière de chocolats que la Comtesse lui avait donnée, l'ouvrit et la présenta au Prince.

— Prenez-en un, dit-il, ils sont très bons.

— Vous avez une drôle de tête, dit Smine en prenant un chocolat. C'est curieux, il me semble que je vous
ai déjà vu quelque part. C'était sans doute quelqu'un qui
vous ressemblait. C'est d'avoir passé votre vie en voyage
qui vous a fait un visage aussi tanné et foncé ?

— Sans doute, dit Cécil. Nous avons voyagé par
tous les temps. Cela transforme le visage.

— Je sais à qui il ressemble, dit Smine en se
tournant vers son Bouffon. Il ressemble au démon aux
pattes fourchues qu'il y avait dans le livre d'images, t'en
souviens-tu, que mon père m'a donné il y a cinq ans.

— C'est vrai qu'il lui ressemble peut-être un peu,
dit Enguerrand.

— Et Rozie aussi a l'air sorti de ce livre, dit Smine,
il a l'air d'un des acolytes de ce démon. Pouvez-vous
m'expliquer pourquoi vous ressemblez tellement à un
diable, Cécil ? À moins que vous ne soyez choqué de ce
que je vous dis ?

— Pas du tout, dit Cécil. Je comprends très bien
que je puisse avoir l'air d'un démon.

— Et vous avez un autre ami ? dit Smine. Il ne
travaille pas avec vous ?

— Mon neveu ? dit Cécil. Il est allé se promener. Il doit rentrer bientôt.

— C'est drôle, hein, Enguerrand, qu'il ressemble à ce point-là à un démon ?

— Je n'avais pas remarqué, mais maintenant je suis tout à fait de ton avis, dit Enguerrand.

— Est-ce que vous croyez beaucoup aux histoires de damnés et de démons ? demanda Rozie.

— Non, je n'y crois pas, dit Smine. Alors vous allez faire du théâtre ? Ne vous occupez pas de ce que raconte Enguerrand quand il dit que je ne m'intéresse pas au théâtre. Je m'intéresse au théâtre lorsque c'est intéressant. Qu'est-ce que vous êtes en train d'écrire maintenant ?

Elle avait pris les feuillets et les lisait attentivement.

— C'est bizarre comme style, dit-elle.

— C'est du néo-eupheuisme, dit Rozie vivement. C'est un nouveau style que nous allons importer d'Italie.

— Ça a l'air amusant, dit le Prince. Je vois que vos histoires sont comiques. Vous n'aimez pas les tragédies ?

— Il y a des choses tragiques aussi, dit Rozie. Certains passages sont tragiques et d'autres comiques. Cela est indissociable.

— C'est vrai, c'est ainsi qu'est la vie humaine, dit Enguerrand.

— Est-ce que tu vas te mettre à avoir une opinion sur ce qu'est la vie humaine ? demanda Smine. Il va s'enrichir à votre contact, Enguerrand ! Est-ce que c'est vous qui lui avez parlé de la vie humaine ou bien lui qui vient de trouver ça tout seul ?

— Je ne connais pas beaucoup le Bouffon, dit Cécil, mais je pense qu'il a très certainement ses propres opinions.

— Et vous, qu'est-ce que vous avez à dire sur la

vie humaine ? En pensez-vous quelque chose ? demanda Smine à Rozie. Vous ne parlez pas beaucoup, c'est peut-être que vous êtes occupé à méditer ?

— Je crois qu'une petite fille comme vous, charmante comme vous êtes, devrait parler avec moins d'amertume de cette grande question de la vie humaine, répondit Rozie.

— Attention, je suis féministe, dit Smine. Êtes-vous en train de me dire que je ne devrais pas penser ?

— Ce n'est pas ce que je dis, répondit Rozie. Je dis que vous devriez penser plus joyeusement. Moi, je pense très peu sur la vie humaine, en tant que comédie ou tragédie. Il y a de la désillusion dans votre ton quand vous en parlez.

— C'est un personnage qu'elle joue, dit Enguerrand. Elle ne croit pas un mot de ce qu'elle dit. Pur romantisme.

— Oh, moi, j'essaie seulement de comprendre ce que vous faites, dit Smine avec un mouvement léger de la main. Et de quoi parlez-vous à part ça ?

— Nous racontons les aventures de héros historiques et nous en dégageons des moralités, dit Cécil, des maximes.

— Que c'est ennuyant si vous faites encore des moralités, dit Smine. Moi, je suis pratiquement athée.

— Ce ne sont pas des moralités telles que vous avez l'habitude d'en voir, dit Rozie. C'est une autre espèce de moralité. On a travaillé ça aujourd'hui, hein, Cécil ? Ce sont des itinéraires plus que des moralités.

— Vous allez nous expliquer comment nous rendre en Italie ? demanda Enguerrand.

— Très exactement. C'est ce que nous expliquons avec ces histoires, dit Cécil.

— J'espère que ce n'est pas chez le diable qu'il nous envoie, Smine, dit Enguerrand. Il a tellement l'air d'un diable, espérons qu'il ne va pas nous conduire tout droit chez lui.

— J'irais plutôt chez le diable qu'en Italie, quant à moi, dit Smine. Je ne suis pas peureuse. Ça doit être plus drôle en enfer que dans cette plate ville de Varthal. Donc vous écrivez des itinéraires. C'est une occupation comme une autre. C'est dommage que vous ne soyez pas vraiment le diable. Je vous commanderais un itinéraire immédiatement. Je pourrais donner la ville entière pour ça.

— Ton père ne serait pas très content si tu donnais la ville pour pouvoir aller chez le diable, dit Enguerrand.

— Toi, est-ce que tu viendrais avec moi ? dit Smine.

— Moi, je suis déjà en route, dit Enguerrand. N'est-ce pas, Cécil, que je suis en route ?

— Le Bouffon de Varthal est parti aux Enfers, dit le Prince Smine. Je vais le faire crier en ville. Et je vais faire demander le nom de ceux qui veulent l'accompagner. Moi, je me mets sur la liste. C'est une très belle après-midi finalement. J'ai bien fait de venir ici puisqu'on me propose des itinéraires tellement passionnants. Est-ce que vous avez pensé à d'Alpenstock, Enguerrand, est-ce qu'elle vient avec nous ? Je vais aller la voir tout de suite et je vais lui demander si elle a envie de venir faire un tour en enfer. Pendant qu'on tient une bonne idée, épuisons-la avant qu'elle nous ait épuisée.

Le Prince Smine s'était levée, mais Lyly entrait maintenant, portant à la main un gros chapeau rouge décoré de rubans et de fleurs.

— Un autre démon, dit-elle. Est-ce que c'est pour

moi, ce chapeau-là ? Est-ce qu'on est obligé de porter une horreur pareille du côté malin de l'univers ?

— Ce n'est pas pour vous, mais je vous en achèterai un autre si vous le désirez, dit Lyly. Dites-le tout de suite et je retourne au magasin, je préfère acheter tous mes chapeaux la même journée.

— C'est un chapeau de sorcière, dit Smine. J'en ai vu des pareils chez les sorcières qui vivent sous les ponts. Elles aiment ce genre de chapeau, je ne sais pas pourquoi. Vous en avez besoin pour les comédiens ?

— Oui, dit Cécil vivement. C'est pour le spectacle qu'on utilisera sans doute ce chapeau.

Elle partit avec Enguerrand chez la Comtesse d'Alpenstock pour lui raconter son après-midi.

— Qu'est-ce que c'est ? dit Lyly une fois qu'il se retrouva seul avec ses amis.

— Elle est complètement folle, dit Cécil. Je voyais bien qu'ils étaient tous fous, mais le Prince Smine est la plus folle.

— Qu'est-ce qu'ils ont tous à tant s'ennuyer ? demanda Rozie. Moi, je ne me suis jamais ennuyé dans ma vie. Ils ne tiennent pas en place tellement ils s'ennuient.

— L'oisiveté, dit Lyly en haussant les épaules. Ils ont tout ce qu'ils veulent, ils n'ont pas besoin de gagner leur vie et ils ne savent plus quoi faire de leur temps. Ils sont continuellement menacés de décadence et de dégradation.

— Pourtant ils sont si jeunes, dit Rozie, songeur.

— Pourquoi ont-ils parlé de sorcières ? demanda Lyly. Est-ce que Comédie est une sorcière ?

— Il faudra leur demander la prochaine fois. As-tu peur des sorcières, Lyly ?

— Je ne crois pas à toutes ces fariboles, dit Lyly.

Chapitre VIII

Où les choses se gâtent

La première rencontre de Cécil avec les comédiens fut chaleureuse et simple. Il ne voulait pas donner à ces gens, qu'il respectait et avait longuement côtoyés sur les routes, le sentiment qu'il les méprisait ou les traitait de haut, non plus qu'il ne voulait devenir très intime avec eux, craignant qu'ils ne le découvrent. Il fut convenu que l'auteur de Spenntel-Hoguel ferait une lecture publique de sa pièce, dont on donnerait copie aux premiers rôles, et qu'il se retirerait ensuite, laissant aux acteurs le soin de décider de la mise en scène. Le Sieur Cécil, déclara-t-on, vivait à Varthal dans une semi-retraite et ne désirait pas qu'elle soit troublée par ses activités théâtrales.

La pièce, écrite en quelques jours, était terminée quand eut lieu la première lecture publique et fut montée rapidement. C'était une féerie qui, sous une forme allégorique, racontait les aventures de plaisantins populaires. L'action devait se passer en Grèce, mais on reconnaissait, en filigrane de l'histoire mythique, à peine déguisés, le discours habituel et le comportement des comédiens de la route et des saltimbanques. La pièce, pour cette raison, plut énormément aux comédiens de Chazel, qui la jouèrent avec entrain.

Dès le soir de la première, à la fin de janvier, elle eut un énorme succès, dû sans doute pour une large part à sa nouveauté, et on la reprit ensuite, sur la demande du Roi, à la Cour de Varthal. En très peu de temps, Cécil devint ainsi, aidé de ses amis, le maître incontesté du théâtre dans la ville. Malheureusement cette situation, si elle faisait le bonheur de nos amis et du Bouffon Enguerrand, qui voyait renaître son théâtre, ne plaisait pas nécessairement à tout le monde. On a dit que la ville de Varthal possédait deux autres théâtres : ceux-ci, ainsi que le théâtre des Deux Lanternes, dirigé par Chazel, n'avaient pas attendu Cécil, on s'en doute, pour monter des spectacles et maint auteur, pilier de taverne ou digne écrivain retranché derrière ses bouquins poussiéreux, ne supportait pas d'un cœur léger de se voir damer le pion par ce Sieur de Spenntel-Hoguel nouvellement arrivé, dont on ne savait rien, sinon qu'il avait produit ce spectacle saugrenu qui plaisait tant au Prince et surtout à la Comtesse. L'un deux, ivrogne et malade, Zindel, qui avait eu son heure de gloire, prit Cécil en aversion et chercha à lui faire du tort. Soupçonneux et malin, il n'eut pas de mal à découvrir la véritable origine du nouveau dramaturge. Cécil allait de temps en temps, l'après-midi, visiter un de ses vieux amis d'Avonie qui était devenu libraire à Varthal. Zindel le fit suivre et apprit ainsi son identité clandestine. Un jour de la fin de février, alors qu'une pluie froide et torrentielle faisait fondre les derniers bancs de neige, cet infâme Zindel se rendit chez le Prince Smine, on devine avec quelles intentions.

*

* *

« Comme je suis heureux, dit Cécil qui se promenait avec Rozie dans le parc du palais. Voilà un nouveau printemps qui s'annonce et mes pièces ont un succès que je n'avais pas imaginé. Je me sens généreux et gentil. Je vais faire à Varthal le plus beau théâtre qu'ils verront jamais. Je vais faire descendre toutes les fées du ciel et tous les lutins sur cette ville et je leur donnerai des Noëls toute l'année. La nature humaine est vraiment bonne, mon cher Rozie, n'en doutons jamais, et l'amour est roi de cette petite planète perdue au milieu des étoiles. »

— Cécil, tu es trop content, dit Rozie. J'ai peur quand tu t'exaltes ainsi. Ça ne présage rien de bon. Il vaudrait mieux garder soigneusement les pieds sur terre et prévenir les dangers qui nous guettent encore. Il faudra bien que tu déclines un jour ou l'autre ta véritable identité au Roi. Je ne suis pas sûr qu'il ait la même merveilleuse miséricorde que la Providence. Ensuite, je sais d'expérience qu'il faut se méfier de tes grands emballements. On revient tôt ou tard à une plus triste réalité.

— Regarde, la neige a fondu et on voit revenir des pays chauds les premiers oiseaux du printemps, voilà un présage auquel on peut se fier. Et je me sens comme un enfant de trois ans, plus printanier que je n'ai jamais été. Quand la nature a un tel effet sur nous, c'est le signe certain que toutes les forces de la destinée sont de notre côté. Est-ce que tu ne sens pas toi-même cette intense germination en toi ?

— Eh bien, je dois dire qu'il y a bien cette impression d'être nouveau-né, mais j'ai peur, je te le répète, quand tu mets tellement d'ardeur à être heureux, j'ai peur que tu sois déçu.

— Qui, en ces journées magiques, pourrait nous vouloir du mal ? Je me sens à peine haut comme un chat monté sur ses pattes de derrière et je vois tout à ce niveau, comme si j'étais toujours à la ferme de mon père, à jouer avec mes chats. Je vois sous les fleurs naissantes des démons espiègles et des feux follets qui me sourient et m'assurent de leur appui. Je vais enfoncer dans les oreilles de toutes ces bonnes gens de Varthal des histoires si longues et si incroyables qu'ils mettront des siècles à les dévider. Et pour commencer, j'illuminerai leurs yeux de telle sorte qu'on les reconnaîtra à l'étranger pour la gaieté et le charme de leurs manières, voilà ce que je ferai. Je vais devenir magicien. Voici venir le Bouffon Enguerrand, qui allait sans doute rendre une visite au Prince. Demandons-lui s'il est un papillon au printemps.

Le Bouffon, plus livide que jamais, s'en venait d'un pas saccadé vers nos amis. Il se dirigea comme un automate sur Cécil et lui prit la main.

— Monsieur, c'est terrible, dit-il. Le Prince Smine a appris d'un charlatan écrivassier que vous lui aviez donné une fausse identité. Elle est dans tous ses états et elle a averti le Roi. J'ai fait une gaffe affreuse, quant à moi, je lui ai dit que j'avais eu vent de la petite supercherie et que je l'avais laissée faire, la jugeant anodine. Je suis perdu à la Cour. Le Prince m'a accablé de reproches et va me traîner en justice. La Comtesse d'Alpenstock, cette lunatique qu'on aurait dû laisser en paix, est tombée malade à la nouvelle, ce qui exaspère encore la colère de Smine.

— Mais pourquoi est-elle malade, la Comtesse d'Alpenstock ? dit Cécil qui n'avait pas encore émergé de son euphorie et se sentait parfaitement innocent.

— Mais elle a perdu son Italie, dit Enguerrand. Vous ne pouvez pas vous figurer ce que c'est pour elle. Elle tombe des nues. Vous alliez souvent la voir, Rozie, n'est-ce pas ? La Comtesse vivait dans le délire de l'Italie, cela n'est pas trop fort. Je ne suis pas sûr qu'elle va pouvoir s'en passer et on craint pour sa vie. Imaginez-vous ce qui arriverait si cette affaire devait causer la mort d'Alpenstock. Vous seriez pendus haut et court sur la place publique dans la journée qui suivrait. Et moi avec probablement.

— Eh bien, notre bonheur aura été de courte durée, dit Rozie.

— Voyons, dit Cécil, il doit bien y avoir un moyen d'arranger les choses. Mais qu'est-ce que ça change, que je sois de Spenntel-Hoguel ou des Enfers mêmes, qu'est-ce que ça peut bien changer pour le Prince, si je fais bien mon travail ? Une fois qu'on m'a permis de montrer mes compétences, on devrait pardonner facilement, il me semble, l'astuce que j'ai employée. Et pourquoi la Comtesse d'Alpenstock devrait-elle en mourir ? Parce qu'on lui a fait une Italie sur mesure ? Elle devrait plutôt être contente et remercier Rozie.

— Elle voulait aller en Italie, dit Enguerrand, elle se promettait un prochain séjour en Italie et y pensait tout le temps. Ça ne lui fait pas plaisir de tomber tout à coup de ce paradis fabriqué sur mesure. On la comprend.

— On lui fera un autre paradis, dit Cécil. Je comprends que la petite Comtesse ait besoin d'un paradis et je n'ai pas l'intention de l'en priver. Ce n'est que le paradis qui change.

— En tout cas, le Roi vous a fait chercher à votre auberge et je crois qu'on veut vous mettre en prison. S'ils ont trouvé Lyly, il est probablement déjà dans les donjons du Roi à l'heure qu'il est. Vous devriez partir immédiatement, c'est le seul recours qui vous reste. Quittez la ville sur-le-champ et n'y remettez jamais les pieds. Allez dans les Pays-Bas, allez à Partenthal, mais fuyez au plus sacrant parce que, si le Roi vous attrape, je ne donne pas cher de votre liberté, ou même de votre vie.

— Mon doux, mais on ne peut pas laisser Lyly, dit Rozie qui était devenu aussi pâle que le Bouffon.

— Ce n'est pas possible de laisser Lyly, dit Cécil posément. Nous allons trouver une autre solution en réfléchissant calmement. D'abord nous ne pouvons pas rentrer à notre auberge, nous avons un peu d'argent, nous irons nous cacher à la sortie de la ville et formerons des plans pour délivrer Lyly s'il a été emprisonné. Vous, Enguerrand, vous allez immédiatement à l'auberge et vous essaierez de prévenir Lyly et...

*

* *

Lyly était assis avec Comédie dans l'atelier de Mississipi Free, la tante de la jeune femme, qui était sortie.

— Ils lui ont déjà coupé un doigt, disait Comédie, quand elle était encore jeune, à l'époque ils faisaient ça, et il arrivait très souvent que les sorcières perdaient leurs pouvoirs en même temps que leur doigt, mais Mississipi Free était forte et elle les a déjoués.

— Et toi, tu crois vraiment que toutes ces petites fioles, ces mixtures malodorantes peuvent avoir quelque pouvoir ? Je suis perplexe.

— Je l'ai vu, de mes yeux vu, dit Comédie, qu'ils avaient du pouvoir. Je sais ce qu'ils sont capables de faire. Et je ne te le dirai pas, parce que tes cheveux se dresseraient sur ta tête. Mais je peux te parler d'une chose qu'ils savent faire et qui n'est pas vraiment maligne. Si je le voulais, je m'arrangerais pour que tu boives un philtre et

106

tu deviendrais tellement amoureux de moi que tu ne pourrais plus me laisser. Je ne le fais pas, mais je sais comment on le fait.

— Ça prendrait une dose très forte, dit Lyly, pour me faire connaître un sentiment pareil. Avec moi, ce n'est pas une petite dose de ce philtre qui serait suffisante.

— Si tu m'agaces trop, je vais le faire, dit Comédie. C'est très sérieux. Et tu viendras te plaindre ensuite à moi de ton esclavage, mais plus personne ne pourra t'en délivrer.

— Ça pourrait bien arriver que ce soit moi qui te fasse boire ce philtre, dit Lyly. Il se pourrait bien que j'en demande la recette à Mississipi Free et qu'elle me la donne de bon cœur. Alors c'est toi qui serais mal prise. Peut-être que je l'ai déjà demandé et que je te l'ai fait boire la semaine dernière. Peut-être que tu commences à en ressentir les effets ?

Il s'amusa ainsi avec Comédie tout l'après-midi, puis prit joyeusement le chemin de l'auberge, impressionné lui aussi par la fraîcheur de l'air. Il remarqua à peine les gardes du Roi qui étaient stationnés à la porte du Cheval-qui-rit. À sa chambre, deux officiers l'attendaient, et il fut conduit sans autre forme de procès à la prison de la cité. Quand le Bouffon Enguerrand arriva à l'auberge, on l'avertit que Lyly avait été emmené par la police du Roi et qu'on recherchait Cécil et Rozie dans toute la ville. On lui apprit aussi que la Comtesse d'Alpenstock avait fait une tentative de suicide. Le soir même, à tous les postes d'affichage, un placard annonçait que Lyly serait pendu le lendemain soir.

*
*   *

Cécil pleurait à chaudes larmes, étendu sur le lit d'une auberge de banlieue où il s'était inscrit avec Rozie sous une fausse identité.

— Voici un nouveau printemps qui s'annonce, dit Rozie qui pleurait aussi, assis par terre près du lit.

— Le printemps, dit Cécil en se levant, non, les présages du printemps ne parlaient pas en vain, et Lyly ne peut pas mourir comme ça. Je vais faire quelque chose de terrible, je le sens, les génies du printemps que j'ai vus si clairement ne peuvent m'abandonner, c'est trop absurde.

Ils se parlèrent ainsi plusieurs heures, tour à tour pleurant puis élaborant des plans chimériques pour délivrer leur ami. Enguerrand arriva très tard, parce qu'il avait été retenu au palais où le conseiller Rembrondte et le Roi l'avait longuement interrogé.

— Je ne croyais pas qu'ils allaient me laisser partir, dit-il, j'ai vu le moment où ils allaient m'enfermer avec Lyly. La situation est désespérante, ils ont déjà préparé la potence.

— Non, c'est impossible, dit Cécil que cette seule pensée plongeait dans l'horreur. Nous allons faire quelque chose et tout va s'arranger. Dans quelques jours, tout cela ne nous paraîtra plus qu'un cauchemar.

— Mais quoi, qu'est-ce que nous allons faire ? dit Enguerrand. Je veux bien y réfléchir toute la nuit, mais il n'empêche que demain votre ami Lyly risque quand même d'y passer. Nous pouvons déjà convenir que je retournerai demain au palais et que j'essaierai avec de nouveaux arguments d'adoucir le Prince Smine. Je peux même aller voir la Comtesse d'Alpenstock et lui demander son pardon, mais... s'ils sont capables de brusques générosités, je sais aussi quel est leur égoïsme, et je ne peux prévoir les actions d'une Comtesse d'Alpenstock en colère. Vous ne compterez pas plus à ses yeux qu'une bête sauvage qui l'aurait mordue.

— Elle a été si gentille, dit Rozie. Je ne peux croire qu'elle ait si peu de sensibilité.

— Vous l'avez touchée au point qu'elle a pensé mourir, dit Enguerrand, et je suppose qu'elle tient à sa vie plus qu'à la vôtre.

— Dites-moi, Enguerrand, dit Cécil qui réfléchissait depuis quelques minutes, serait-il possible d'avoir votre théâtre pour demain midi ? Je veux dire : pourrions-nous jouer la pièce demain midi à l'heure du dîner ?

— Cela s'est déjà fait, dit Enguerrand. Mais pourquoi donc ?

— J'ai une idée, dit Cécil. Nous allons informer le peuple de ce qui se passe vraiment, et pour cela nous utiliserons votre théâtre. En effet, je ne suis pas un inconnu dans cette ville, la population de Varthal a applaudi ma pièce. Ils savent que Lyly va être pendu. Je vais raconter mon histoire à toute la ville et nous verrons si je ne sais pas émouvoir la population de Varthal. Faites annoncer dès demain matin qu'en raison de circonstances exceptionnelles, pour toute la population du pays, il y aura assemblée et théâtre aux Deux Lanternes à midi. Je vais changer mon texte et le remplacer par la première version, celle qui faisait parler les gueux. J'irai moi-même, demain matin à l'aube, en porter la version nouvelle aux comédiens. Je soulèverai une révolte populaire, j'en suis capable, et, s'il le faut, nous prendrons la cité d'assaut pour libérer Lyly. Voilà ce que je vais faire. Entre-temps, Enguerrand, vous pouvez toujours essayer de calmer la colère de la Cour, moi, je sais où je trouverai mes armes. Il n'y a pas un miséreux, pas un comédien, pas même un ouvrier de manufacture qui ne serait indigné par mon histoire, pas un boucher, pas un marchand de cette ville ne résistera à ma fureur et à mon mépris. Je vais les prendre avec mon théâtre et je les ferai marcher sur le palais s'il le faut.

— C'est une chose à tenter, dit Enguerrand. Je ferai placarder qu'il y aura exceptionnellement théâtre demain midi.

*

* *

« Madame, je suis venue te voir, c'est Comédie. »

La vieillarde, assise à sa table de travail éclairée d'une seule chandelle, un gros livre sous les yeux, jeta sur la jeune fille un regard par dessus son lorgnon.

— Qu'est-ce que tu veux, Comédie ? Qu'est-ce qui se passe, ma petite fille ?

— L'homme qu'ils vont pendre, c'est mon amoureux, c'est mon ami.

La vieille s'adossa à son fauteuil et ses yeux se perdirent dans la pénombre de la pièce. Elle avait l'air aveugle soudain, aveugle et sourde, mais Comédie la connaissait.

— C'est demain soir qu'ils vont le pendre, dit-elle. Il n'a rien fait. S'il meurt, je suis obligée de mourir aussi.

— Voyons, voyons, dit la vieille. Et Mississipi t'a envoyée ? C'est donc très important. Qu'est-ce qu'il a fait, cet homme ?

— Mississipi m'a dit de te dire ces mots : « C'est l'horloge sur la ville et l'oiseau, il sonne l'heure et la saison et il est la lumière de mars. » Elle dit que tu dois l'aider.

— S'il est tout ça, dit la vieille avec un ricanement, s'il est tout ça, ma pauvre enfant !

110

Elle mit la tête dans ses mains, puis parla très vite :

— Va chez le boucher, vas-y de ma part et demande-lui un cochon. Ensuite… tu ne dormiras pas cette nuit, tu es jeune, tu dormiras plus tard. Ensuite, tu iras par toutes les rues de la basse-ville avec le cochon et tu feras une croix de son sang sur toutes les portes. Quand les femmes verront le sang, elles sauront que c'est la signature de la sage-femme et que des événements étranges vont survenir. Puis tu iras voir la laitière et tu lui diras que c'est moi qui t'envoie. Va faire ça.

*
* *

« Qu'est-ce que tu en penses ? » dit Arteur à son Conseiller Rembrondte, une fois qu'ils eurent laissé partir le Bouffon.

— Je me méfie de lui, dit le Conseiller. Je ne l'ai jamais aimé et, cette fois-ci, je me méfie plus que toutes les autres fois. Je vous avais dit que vous auriez des problèmes avec cet Enguerrand.

— C'est un enfant, dit le Roi. Un enfant que j'ai élevé comme mon neveu. Il est tout frêle et délicat et je l'aime. Cela n'est qu'une étourderie de sa part, il a voulu s'amuser et n'a pas pensé plus loin. Je prône l'indulgence en sa faveur, je sais tout ce qu'il a fait pour moi, c'est un garçon tendre et raffiné.

— C'est une vipère, dit Rembrondte. Un monstre insensé. J'en ai peur et je le crois capable du pire. Il n'est pas civilisé, comprenez-vous, Majesté, il ne comprend pas cette nouvelle civilisation dans laquelle nous vivons. Il n'en voit pas la beauté, il n'a aucun respect pour elle. Ces déviants conçoivent des projets qui peuvent égarer nos esprits logiques, et même s'ils ne le font pas consciemment, ils sont toujours dangereux dans un royaume éclairé comme celui-ci. Considérez un instant que vous avez, sur le conseil d'Enguerrand, confié un pouvoir phénoménal à des « gypsies ». Je vous le dis, nous risquons une révolte de gueux, ou même une insurrection si on n'y prend garde. Et qui vous dit que cela n'est pas une conspiration ourdie par le Bouffon pour s'emparer de la Couronne ?

— Pourquoi Enguerrand voudrait-il s'emparer de la Couronne ? demanda le Roi. Qu'est-ce qu'il ferait avec une couronne ? Il a déjà tout ce qu'il veut.

— Il peut la désirer sans savoir ce qu'il fera avec, dit le Conseiller. Et même s'il a tout ce qu'il veut, on imagine facilement qu'il peut avoir des intérêts totalement différents des vôtres. Il pourrait désirer gouverner le royaume selon sa propre philosophie, qui est certainement délirante, je me la figure assez.

*
* *

Un jour insolite se leva sur Varthal. Les femmes de la basse-ville, agitées, se parlaient à voix basse sur les trottoirs et on lisait la même étrange inquiétude dans leurs yeux agrandis. Puis un crieur invita la population à venir au théâtre exceptionnellement à midi. Et enfin on sut qu'il allait se passer quelque chose d'important quand la laitière, tournant le coin de la rue du marché avec sa charrette, fut renversée par une calèche qui s'en venait à toute vitesse, et répandit son chargement de lait sur le pavé. Les bouteilles s'étaient cassées sous le choc et, le long de la rue en pente, le lait coulait jusqu'au quartier voisin, affirma-t-on plus tard. Et toute la matinée les jeunes gens qui faisaient les commissions, les marchands devant leurs boutiques et les promeneurs qui avaient à passer par cette rue, toute cette matinée de soleil, ils piétinèrent dans la vitre cassée et tout le monde, même des banlieues les plus éloignées, savait qu'il y avait cette grosse flaque de lait, en face de la menuiserie, au coin de la rue du marché.

À onze heures et demie, il y avait des processions sur la route de la banlieue du nord, vers le théâtre des Deux Lanternes, et même les enfants étaient de la partie, car ils avaient déserté l'école pour se rendre au spectacle. Les hommes, en bandes, dans leurs vestes légères qui remplaçaient aujourd'hui les lourds manteaux d'hiver, s'interpellaient d'un groupe à l'autre le long du chemin et conjecturaient d'une voix bourrue la signification de cet événement. On joua la pièce en pleine rue sur une estrade étroite devant des milliers de spectateurs ahuris. Les comédiens, énervés, beuglaient leurs répliques et l'effet sur la foule fut terrible. Les gens ne savaient plus s'il y avait une fête ou si on devait se battre et la consternation était totale. Cécil vint lui-même à la fin du spectacle haranguer la population. Il raconta son histoire et supplia qu'on empêche la pendaison de son ami. Seuls ceux qui se trouvaient près de l'estrade entendirent réellement son discours, qu'ils communiquèrent ensuite de bouche à oreille à leurs voisins immédiats, de sorte que le condamné à mort devint un personnage effrayant et mythique qu'il fallait délivrer, on ne savait pour quelle raison capitale.

Pendant ce temps, au palais royal, Arteur, sur le conseil de Rembrondte, faisait lever une armée qui devait mater les citoyens si une émeute éclatait. À trois heures de l'après-midi, on annonça cette nouvelle décision du Conseil, que Lyly allait être pendu avant cinq heures alors qu'il ferait encore jour, et qu'on pendrait aussi quiconque s'y opposerait.

Chapitre IX

Ce que fit le Prince pour s'amuser

Au fond de son donjon glacé, le principal intéressé, assis sur sa paillasse grouillante de vermine, regardait les rayons du soleil sur le plancher de sa cellule et songeait tristement qu'il vivait peut-être sa dernière journée. Il n'avait pas dormi évidemment, il avait passé la nuit à se torturer et à chercher des moyens d'évasion, puis, à l'aube, une sorte de sérénité l'avait envahi, Dieu sait par quelle grâce, et il avait passé la matinée à fixer les rayons du soleil et à en suivre la progression sur le mur de la pièce et sur le sol. À onze heures, il avait reçu une visite du Prince Smine :

— Je suis venue vous voir, avait-elle dit, parce que je veux savoir si au moins vous vous repentez de ce que vous avez fait.

— Qu'est-ce que j'ai fait ? avait-il répondu d'un ton morne.

— Vous êtes condamné parce que vous avez failli tuer la Comtesse d'Alpenstock, entre autres, répondit Smine. Ne le savez-vous pas ? Elle a voulu attenter à ses jours hier soir et c'est moi qui l'ai sauvée de justesse.

— Je ne suis pas responsable des humeurs de la Comtesse, dit Lyly. Si vous venez ici en voyeuse, si vous croyez que vous allez m'entendre hurler, vous pouvez vous en retourner dans vos sales appartements, pimbêche !

Vous autres, chiens de Cour, avez tellement dégénéré et ramolli que vous avez besoin de nous comme de béquilles aux épaves spirituelles que vous êtes. Et si on vient à vous manquer, pour une raison ou pour une autre, vous vous affaissez comme des chiffes molles. Voilà ce qui est arrivé à d'Alpenstock. Et maintenant que vous ne pouvez plus supporter de vous voir ainsi avachis, plus personne ne vous soutenant, maintenant que vous êtes dans toute sa vérité cette flasque et répugnante loque, vous voulez nous tuer de vivre différemment. J'emporterai en paradis le mépris que j'ai pour vous et je viendrai les soirs de tempête vous harceler dans votre sommeil et vous rappeler ce que vous êtes. Je suis content que vous soyez ici pour pouvoir vous dire tout ça, et restez, chère, si vous en avez envie, je peux continuer sur ce ton pendant longtemps.

Il croyait qu'elle allait s'en retourner chez elle immédiatement, mais elle éclata de rire et, s'adossant au mur :

— Vous avez décidé alors de mourir en héros ? dit-elle. J'espère que cela rendra vos dernières heures plus douces. Je vais donc rester et écouter la suite, pour vous permettre de finir aussi dignement que vous le désirez.

— Si vous restez je vais vous écraser contre le mur, dit Lyly. Je vous donne cinq minutes pour sortir où je vous saute dessus et vous devrez appeler vos gardes si vous ne voulez pas vous faire tuer.

— Je m'en vais, dit le Prince en ouvrant la grille. Mais je reviendrai cet après-midi. Je vais entre-temps vous écrire une petite prière pour vos dernières minutes. Voyez si je ne suis pas aimable. Vous serez content parce que j'ai une belle plume et j'en fais profiter très peu de gens.

À midi, on lui avait apporté un repas frugal et le garde lui avait parlé du spectacle qu'il y avait aux Deux Lanternes, mais sans lui laisser d'espoir sur son cas. Puis il avait commencé à ressentir une douleur lancinante à la nuque et il avait concentré son attention sur ce mal de tête.

*
*   *

« Je ne suis pas sûre que ce soit une si bonne idée, finalement, dit le Prince Smine qui était avec la Comtesse d'Alpenstock dans son salon. Il m'a dit des choses tellement terribles, j'ai peur qu'il ne se défâche plus jamais. »

— C'est la fête partout en ville, dit la Comtesse. C'est une pure merveille et nous avons bien fait d'agir ainsi. Il comprendra demain qu'on avait envie de le taquiner un peu. Nous lui ferons construire un nouveau théâtre, s'il le faut, et il finira bien par nous pardonner.

— C'est une expérience terrible, dit Smine, d'attendre une mort brutale toute une journée dans un donjon. Il dira que je suis une enfant gâtée et il voudra me faire pendre à mon tour.

— Tu lui expliqueras que tu finissais par comprendre l'italien et que tu avais envie de faire un spectacle néo-eupheuiste total. Il devra admettre que tu as réussi ta performance et que le peuple s'amuse comme il l'a rarement fait.

Un valet vint avertir le Prince qu'une mendiante désirait lui parler et qu'elle prétendait apporter des éclaircissements sur l'affaire en cours. Intriguée, Smine demanda qu'on la fasse entrer. Comédie, l'air aussi égaré que d'habitude, s'approcha du Prince et lui prit la main.

— Madame, dit-elle, je vous connais, vous n'êtes pas méchante. Je suis venue implorer la grâce de mon ami que vous avez fait enfermer hier soir à la Tour. C'est un homme doux et généreux qui ne mérite pas une telle peine.

— On m'a dit que vous m'apportiez des nouvelles de Cécil et de Rozie, coupa Smine. Est-ce que vous êtes ici uniquement pour me faire ces jérémiades ou bien avez-vous réellement des choses à m'apprendre ?

Comédie s'était assise tout près du Prince sur le divan. Elle n'était pas venue dans l'intention de la convaincre de quoi que ce soit. Elle se lamenta encore un peu, puis à un moment où l'attention de Smine s'était relâchée et où elle parlait avec d'Alpenstock, elle vida dans le verre du Prince le contenu d'un petit sachet qu'elle avait dans son sac.

— Comment avez-vous connu Lyly ? demanda Smine.

— Je le connais depuis la veille de Noël, dit Comédie. Je vis sous les ponts avec Mississipi Free et Lyly vient me voir de temps en temps.

— Vous n'allez pas perdre votre ami, mademoiselle, dit Smine qui avait consulté d'Alpenstock du regard. Il sera libéré cet après-midi. Je n'ai jamais eu l'intention de le faire tuer. C'est une farce, une petite vengeance ironique pour le tour qu'ils nous ont joué.

La mendiante poussa un cri de joie et porta sa main à son front.

— Comme je suis heureuse, Madame, dit-elle. J'ai eu tellement peur, j'ai l'impression d'émerger d'un cauchemar.

— Je ne suis pas cruelle, dit Smine, et même si tout ne va pas dans ce royaume et que mon père est une crapule, je ne serais pas capable de tuer un homme.

Comédie repartit donc vers le quartier des ponts, soulagée. Elle riait toute seule à la pensée que le Prince allait se trouver dans quelques minutes sous l'emprise de l'aphrodisiaque qu'elle lui avait fait prendre, sur un conseil de la sage-femme. En effet, les sorciers et les alchimistes connaissaient des potions magiques qui rendent les femmes amoureuses au point qu'elles deviennent folles et excitées comme des animaux sauvages en rut. On sait qu'à chaque lune il y a quelques jours pendant lesquels la femme devient lascive et tendre et qu'on ne peut plus alors la distraire du compagnon qu'elle s'est choisi. L'aphrodisiaque de la sage-femme reproduisait chimiquement les composés qui interviennent dans la physiologie des femmes et qui les rendent si agitées, et Comédie en avait donné une forte dose au Prince. Elle espérait qu'ainsi elle tomberait amoureuse du prisonnier et retarderait sa mise à mort.

Smine quitta bientôt son amie qui voulait retourner en ville et s'en fut de nouveau à la Tour. Lyly, sombre, était tassé dans l'encoignure d'un mur.

— Je vous ai dit de vous en aller, murmura-t-il. Allez-vous-en, vous êtes une idiote. Déguerpissez où je vais vous faire mal.

L'aphrodisiaque faisait son effet. Smine fut surprise de trouver Lyly si beau et si attendrissant. Elle se sentait molle et douce et avait envie de se coller à lui.

— Je vais peut-être vous accorder votre grâce, dit-elle.

— Qu'est-ce que vous dites ? Vous allez me laisser partir sans me pendre ?

— Oui, vous allez vous en aller, dit Smine. Elle s'approcha et s'assit à côté de lui. Je n'ai jamais eu l'intention de vous pendre, dit-elle dans un éclat de rire. C'est une blague. J'ai fait ça pour vous faire peur. Avez-vous vraiment cru que je pouvais être aussi barbare ?

Elle lui prenait la main et le regardait avec gentillesse, mais il la repoussa durement.

— Vous voulez dire que vous avez fait tout ça pour vous amuser ? dit-il, stupéfait. Vous m'avez fait emprisonner dans ce trou à rats et vous m'avez fait croire que vous me pendriez dans le seul but de vous amuser ?

— Eh bien oui, c'est un peu ça, dit Smine.

— Pourquoi me prenez-vous la main ? Lâchez-moi la main. Mais quelle sorte de femme êtes-vous donc ? On vous a mis une bottine à la place du cœur ? Est-ce que c'est possible que vous ne vous rendiez pas compte de votre sadisme ? Croyez-vous que nous allons devenir amis, est-ce que c'est vraiment ce que vous croyez, après ce que vous venez de faire avec moi ? Pauvre enfant, un père inhumain vous a transmis sa férocité et sa veulerie et vous ne vous en rendez même pas compte. Vous avez agi envers moi d'une façon si barbare et si insensible que toute ma vie je garderai le souvenir de cette journée. Vous êtes ce qui me répugne le plus au monde.

— Oh, je vous aime tellement… dit Smine qui avait envie de pleurer et que l'aphrodisiaque torturait. J'ai fait ça uniquement pour me moquer et pour qu'il se passe quelque chose. On pouvait bien vous rendre la monnaie de votre pièce, vous le méritiez bien après ce que vous nous aviez raconté. J'ai fait ceci pour être drôle et je ne suis pas une personne insensible.

Il se prit la tête dans les mains. Ce qu'elle disait ne l'intéressait plus. Il était sauvé, il allait sortir de là dans quelques instants et se retrouver en plein soleil. Une immense allégresse l'envahissait, un bien-être physique incroyable. Puis il la regarda de nouveau : elle le regardait aussi et ses yeux avaient un éclat étrange. Il vit le désir qui transfigurait le visage du Prince et se leva d'un coup sec.

— Vous êtes délirante, dit-il froidement. Vous devriez aller vous reposer.

Smine était atterrée. Elle ne pouvait pas deviner, malheureusement, qu'elle avait été droguée et se demandait, tout en suivant Lyly du regard, ce qui était en train de lui arriver et ce qu'il fallait faire. Aussi ne trouva-t-elle rien à dire.

— Vous m'entendez, dit Lyly, vous devriez ouvrir cette porte, que je m'en aille, et aller vous reposer chez vous.

— C'est tellement dommage, dit Smine qui, au milieu de sa confusion actuelle, venait de trouver cette phrase qui lui parut logique.

— Ouvrez cette porte, Mademoiselle, dit Lyly. Je ne veux plus vous parler. La prochaine fois que vous chercherez un amoureux, essayez une autre façon de le séduire, celle-ci m'a laissé froid. Allez promener vos ruts chez les gens qui acceptent de vous fréquenter.

— Oh, je vous en prie, restez un peu avec moi, dit Smine qui avait l'impression de parler du fond d'un rêve. Nous allons redevenir amis, c'est absurde, ça va s'arranger, vous ne comprenez pas ce que j'ai fait réellement.

— Oh, Madame, dit Lyly, je crois que vous êtes en train de vous énerver pour rien. Considérez que je suis déjà mort, que vous m'avez tué aujourd'hui et que je viens déjà vous torturer et vous crier ce que je pense de vous. Vous n'obtiendrez jamais rien de plus de ma personne et vous me paraissez bien exigeante en ce moment. Garde ! cria-t-il en s'approchant de la porte. Venez ouvrir cette porte. Le Prince Smine me rend ma liberté.

Le garde vint et demanda au Prince ce qu'il devait faire. Smine, dans son état d'hébétude, lui fit signe de la main de laisser sortir Lyly. Lorsque celui-ci eut quitté la pièce, elle resta ainsi une bonne heure, effondrée sur le banc de bois de la geôle, brûlant d'un feu qui lui transperçait les entrailles. Elle se leva enfin et, d'une démarche somnambulique, marcha vers la Place de l'église. Au coin de la rue du marché, en face de la flaque de lait, elle rencontra Cécil.

— Cécil, dit-elle dans un souffle, que je suis contente de vous voir ! Est-ce que vous savez que Lyly est sorti de prison ?

— Je le laisse à l'instant, Mademoiselle, répondit Cécil sèchement. Vous pourrez dire que vous avez évité de peu une insurrection.

— C'était amusant, n'est-ce pas ? dit Smine. Je vais faire un bout de chemin avec vous, vous me paraissez tellement sympathique aujourd'hui, Cécil, je n'avais jamais remarqué que vous étiez si gentil.

Cécil la dévisagea avec stupéfaction.

— Je n'ai pas envie que vous m'accompagniez, Mademoiselle, dit-il. Je voudrais que vous me laissiez seul. Je ne sais pas ce qui vous prend de me dire que je suis sympathique ni si vous le pensez, mais je peux vous assurer qu'en ce qui me concerne vous êtes l'une des personnes les plus antipathiques de cette ville aujourd'hui. Aussi je crois que nous n'avons plus rien à nous dire. Allez pendre vos prisonniers et fichez-moi la paix.

— Oh, on devrait se réconcilier, dit Smine en lui prenant le bras. C'est trop bête de m'en vouloir pour une simple plaisanterie. Vous devriez venir au château avec moi, je vous ferais un dîner et nous parlerions ensuite des pièces que vous allez monter à Varthal.

— J'aimerais mieux aller manger dans une porcherie avec les cochons, dit Cécil en dégageant son bras. Il fit quelques pas mais elle le rattrapa.

— Plus personne ne veut me voir, dit-elle en lui reprenant le bras. Mais qu'est-ce que j'ai fait de si terrible ? Personne n'est mort. Qu'est-ce que je vais devenir si plus personne ne veut me parler ?

— Vous deviendrez ce que vous voudrez, ça m'est parfaitement égal, dit Cécil qui marchait à toute vitesse, de sorte qu'elle devait courir pour le suivre. Puis il s'arrêta et se planta droit devant elle : Je vous prierais d'arrêter ces enfantillages qui sont du plus mauvais goût, dit-il brusquement. Allez vous amuser avec les jouets que vous avez reçus à Noël, ou bien allez prendre soin de cette charmante Comtesse qui fait des faux suicides et laissez-nous tranquilles.

Elle était là, toute consumée de désir en plein milieu de la rue, elle avait envie de passer son bras autour du cou de Cécil et n'arrivait pas à comprendre pourquoi cela ne pouvait pas se faire naturellement, et ce qui se passait pour qu'une chose qu'elle désirait si vivement soit devenue tout à coup impossible.

— C'est moi qui ai fait la fête et j'en suis exclue, dit-elle d'une voix blanche.

Cécil haussa les épaules et partit en courant. Ne sachant trop où aller, elle entra dans une taverne qui se trouvait à deux pas et, à peine assise devant un bock de bière, elle se mit à pleurer. Au fond de la salle, Rozie était assis avec le Bouffon et quelques amis. Lorsqu'Enguerrand aperçut Smine, il se leva immédiatement et alla s'asseoir à côté d'elle.

— Mais qu'est-ce que tu as, Smine ? dit-il doucement. Qu'est-ce que tu fais ici ? Tu aurais dû rester au château, ce n'est pas une bonne journée pour toi après toutes les folies que tu viens de faire.

— Ouh… ouh… je suis tellement malheureuse, Enguerrand, braillait Smine. J'ai mal partout et je suis malade. Ouh… ouh… ouh… que ça fait mal.

— Mais qu'est-ce qui t'arrive ? dit le Bouffon qui avait pris le visage du Prince dans ses mains. On dirait que tu es droguée.

— Ouh… ouh… je suis possédée du démon, dit Smine. Je suis victime d'un ensorcellement, c'est sûr. Je me sens amoureuse de tout le monde et tout le monde me déteste. Je voudrais jouer avec Lyly et Cécil et ils ne veulent pas de moi.

— Ils ont raison, dit Enguerrand. Tu as été une vraie peste, je ne vois pas pourquoi ils devraient tout à coup s'intéresser à une pareille chipie. Ils ont autre chose à faire et tu n'es sûrement pas la personne qu'ils préfèrent aujourd'hui.

— Mais j'ai fait tout ceci pour bien faire, pour être drôle. Pour une fois qu'il se passe des événements intéressants en ville, on ne devrait pas me punir de cette façon.

— Je comprends ce que tu veux dire, et c'est vrai que les gens se sont amusés, mais as-tu pensé à ce que nous avons tous vécu aujourd'hui ? C'était un calvaire. Et si, moi, je te connais trop pour t'en vouloir, eux sont encore persuadés que tu es cette brute qui a voulu les pendre.

— Oh, que ça fait mal, dit Smine. Mais qu'est-ce que j'ai dans le corps qui fait si mal ? Je voudrais qu'on m'embrasse et qu'on m'emmène à la maison sans que j'aie besoin de marcher. Je ne suis plus capable de me tenir debout, je le sens.

— Tu es malade, dit Enguerrand. Tu dois avoir de la fièvre. Je ne veux pas te ramener, mais je vais faire appeler quelqu'un du château et ils vont venir te chercher.

— Je croyais que c'était drôle de jouer à être diabolique, mais je m'aperçois que c'est extrêmement douloureux, dit Smine qui séchait ses larmes.

L'effet de l'aphrodisiaque avait diminué et, bien qu'encore agitée de toutes sortes de frissons bizarres, elle commençait à se sentir moins mal.

— Je vais laisser ça à tes chers amis, continuat-elle, et me tenir tranquille quant à moi. Ça ne me réussit pas. Je n'ai aucun talent pour devenir un démon.

— C'est une gaffe, dit Enguerrand. Bien que cela ressemble à de la cruauté, ça n'est qu'une gaffe de plus.

— Tu sais, dit Smine qui se sentait de plus en plus réconfortée, je croyais lui faire une belle surprise, et le rendre heureux en lui apprenant, après lui avoir fait peur un peu, qu'il allait avoir la vie sauve, bien entendu. Tu sais bien que c'est un genre de farces dont nous avions l'habitude, que nous faisions déjà entre nous. Qu'est-ce qu'il y a, il n'a été terrorisé qu'une petite journée. C'est uniquement parce que je suis le Prince qu'ils m'en veulent ainsi, si j'avais été l'une des leurs, ils entendraient mieux la plaisanterie.

— Ils changeront d'idée dans quelques jours, dit Enguerrand. Laisse passer un peu de temps et tout va rentrer dans l'ordre. Tu verras qu'ils ne seront pas choqués très longtemps.

Chapitre X

L'âge de raison

Après ces événements, qui avaient quand même inquiété le Roi et son Conseil, le gouvernement de Varthal décida de prendre des mesures radicales afin que le peuple oubliât rapidement ce qui s'était passé et n'y revienne surtout plus. Tous les cinq ans environ, au printemps, on fêtait publiquement le règne d'Arteur et du Conseil de Varthal. Ces fêtes, qui duraient quelques jours, étaient appelées *Les Fêtes de l'Âge de Raison*, on ne sait trop pour quelle raison qui se perdait dans la nuit des temps, et en général on chargeait le Bouffon Enguerrand de s'occuper des diverses manifestations qu'on y faisait un peu partout en ville. Enguerrand, qui n'aimait pas le Conseil, s'était toujours arrangé pour que ces festivités se déroulent sur le mode mineur, en sourdine si l'on peut dire, et sans qu'on leur accorde tellement d'importance. Et depuis qu'il était le Fou du Roi, *Les Fêtes de l'Âge de Raison* avaient perdu peu à peu leur solennité et on les célébrait maintenant sans y penser, sans réjouissances particulières. Rembrondte réussit à convaincre le Roi qu'on devait redonner à cet *Âge de Raison,* qui cette année devait avoir lieu en avril, son caractère sacré, et en profiter pour asseoir le pouvoir royal sur des bases plus solides. Comme il ne pouvait être question de renvoyer Cécil et Cie à Spenntel-Hoguel, la Cour en étant trop entichée, on allait leur demander d'organiser pour *L'Âge de Raison* une gigantesque, une monstrueuse fête qui ferait de cette cérémonie un événement en l'honneur de la Couronne et de son représentant dont on se souviendrait pendant de longues années. Rembrondte fit venir le Bouffon chez lui, dans ses appartements du palais, et lui communiqua lui-même cette décision du Conseil.

— Je veux que vous compreniez bien, dit-il. Ça suffit. Vous avez jusqu'à présent organisé toutes les diverses réjouissances saisonnières vous-même et on ne vous a jamais rien dit, n'est-ce pas ? On vous a laissé faire comme vous en aviez envie. Et cela continuera comme ça, à cette exception près que nous ne sommes pas satisfaits de votre travail en ce qui concerne *L'Âge de Raison.* Cette fête a perdu de son ampleur et ne veut plus rien dire. Cela ne peut être. Nous désirons que *L'Âge de Raison,* qui fut parfois si amusante par le passé, redevienne la fête qu'elle a déjà été, et vous devrez vous charger vous-même de cette tâche ce printemps-ci. Sinon, j'en ai parlé avec le Roi et les membres du Conseil, nous ne saurions alors garder vos compagnons à Varthal. En effet, de quelle utilité sont-ils s'ils ne sont pas capables de s'occuper d'un spectacle qui, en somme, est le seul qui compte vraiment pour la cité, c'est-à-dire de cette fête sacrée de la Couronne ? Les autres divertissements qu'on offre à la population ne devraient être rien du tout comparativement à cette célébration si importante.

— J'ai bien essayé, dit Enguerrand, j'ai essayé à plusieurs reprises d'intéresser les gens à *L'Âge de Raison.* C'est une fête qui n'arrive pas à prendre sur le public. On peut sans doute se réjouir un peu à la Cour, comme vous l'avez observé par le passé, mais il n'y a rien à faire avec les citoyens. Je vous le dis, j'ai fait l'impossible. On n'arrivera à rien encore cette fois-ci.

— Eh bien, si ces gueux auxquels vous avez confié le théâtre de la ville, si ces bohémiens que vous appelez magiciens et qui doivent être tellement géniaux ne sont pas capables d'organiser *L'Âge de raison,* ils seront chassés de la ville à coups de fouet. Voilà, Monsieur, ce que j'ai à vous dire, et je vous le dis. Je ne suis pas le Roi pour vous passer tous vos caprices. Si on vous écoutait, le royaume s'en irait à sa perte en moins de temps qu'il n'en faut pour le dire. Je serai inflexible. Occupez-vous de cette fête et faites-en un succès tel qu'on en parlera encore dans cinquante ans. Voilà ce que vous avez à faire, Monsieur.

— Surveillez votre ton, Rembrondte, dit le Bouffon. Je ne saisis pas ce que vous dites, lorsque vous parlez de « mes caprices ». Expliquez-vous sur ce point, je vous prie. Je ne crois pas qu'on vous ait déjà donné la permission de me faire des remontrances, et ainsi d'en faire indirectement au Roi.

— C'est lui-même qui a employé cette expression, Monsieur, dit Rembrondte. Il paraît donc qu'on peut parler dorénavant de vos caprices à la Cour et vous les reprocher. Je ne fais que répéter ce que le Roi m'a dit lui-même.

— Mais vous n'avez pas la voix du Roi, dit Enguerrand, et même si vous utilisez son vocabulaire, il sera toujours déplacé dans votre bouche. C'est une question de ton. Puissiez-vous parler sur la même tonalité respectueuse qu'Arteur, je me ficherais bien alors que vous parliez de mes caprices ou de quoi que ce soit. Mais cette nouvelle autorité que vous avez dans la voix me répugne.

— Je ne sais pas de quoi vous parlez, dit le Conseiller. Je ne comprends pas ce que vous dites.

— Hypocrite ! dit Enguerrand. Vous n'êtes qu'un intrigant et un salaud.

— J'ai des ordres et je les exécute, dit le Conseiller. Vous allez être obligé de faire de même.

*
* *

« Smine, dit Enguerrand, qui était entré chez elle après avoir quitté le Conseiller, Smine, tu vas avoir l'occasion de te reprendre. Voilà qu'il nous faut organiser une gigantesque réjouissance pour les fêtes de la Couronne. »

— L'Âge de Raison ! dit Smine. Dis-moi pas qu'il va être encore question de L'Âge de Raison. Chaque fois que mon père est inquiet, il brandit son épouvantail. Mon doux, qu'ils sont ridicules ! On n'a pas fêté ça depuis des lustres. Qu'est-ce qui s'est passé il y a cinq ans, je ne m'en souviens même plus ! Une messe peut-être. Une messe avec l'évêque, c'est ça. Je n'y suis même pas allée.

— Je n'aime pas tellement cette histoire, dit Enguerrand, je trouve très dangereux qu'on ramène cette cérémonie tout d'un coup. C'est une fête sinistre, un rappel froid et cruel de ce qu'est le pouvoir et du respect qu'on lui doit. Si L'Âge de Raison devait être pris au sérieux, je ne donne pas cher de ce qui arriverait à notre théâtre, aussi bien qu'à notre imagination tout court. On va nous dire quoi faire, et quoi penser, on va nous demander de nous comporter comme des personnes raisonnables, c'est-à-dire civilisées au sens où l'entend Rembrondte, et ils pourraient aussi bien se mettre à réglementer tout le reste. Si Rembrondte met son sale nez dans mes affaires, si on lui donne ce droit, il n'y aura plus de limites à ses réformes. On devra se conformer à des prescriptions étroites et bornées et la raison du Conseil régira toute chose et même notre imagination.

— Notre imagination en premier, plutôt, dit Smine. Ce serait sûrement la première chose qu'il aimerait réglementer. C'est notre imagination qui lui fait peur.

— Nous trouverons bien un moyen de contourner ce problème, dit Enguerrand. C'est assez rare qu'on n'ait pas réussi à se faufiler à travers les mailles de ses filets. En ce qui me concerne, il n'a jamais attrapé que du vent quand il a voulu saisir mes pensées et les organiser comme il voudrait qu'elles soient, à l'image de son étroitesse d'esprit et de sa sécheresse mentale. As-tu déjà pensé, Smine, à ce qui arriverait si le Conseiller se mettait réellement en tête de forger notre esprit à l'image du sien et s'il possédait les moyens nécessaires pour le faire ?

— Ce serait la victoire de *L'Âge de Raison,* dit Smine. Ils pourraient alors se vanter que la cérémonie fut parfaite, et c'est vrai qu'ils en reparleraient encore dans cent ans, la commémorant, etc. Mais une telle chose est impensable. D'aussi loin que je me souvienne, il y a toujours eu une opposition lorsqu'arrivait *L'Âge de Raison.* Avant que tu sois à la Cour, c'était quelqu'un d'autre, évidemment, qui s'occupait des fêtes. Alors c'était le Bouffon Michel. Eh bien, il a toujours fait la même chose que toi, il a toujours escamoté la fête, et ça n'a jamais été une manifestation importante. Les autres bouffons, tous les autres bouffons faisaient pareil. C'était toujours le Fou du Roi qui organisait les fêtes et ils n'ont jamais réellement fêté celle-là. Ils ont tous fait la même chose, les uns après les autres.

— Mais, dis-moi, est-ce qu'il est déjà arrivé que le

Roi lui-même s'immisce dans les affaires du Bouffon, comme il le fait maintenant ?

— C'est certainement arrivé. Je crois qu'on a dû le voir à une époque donnée de l'histoire. Un roi frustré aurait pu l'organiser lui-même dans une période de crise. C'est sans doute dans les archives du Roi que Rembrondte a trouvé son idée. Mais moi, on ne m'en a pas parlé. Je te le dis, si cette fête avait, par le passé, eu quelque importance à un moment ou un autre, à moi on m'en aurait parlé. Je l'aurais su, on me l'aurait appris, j'aurais même dû l'apprendre par cœur, comme toutes les choses qu'il faut que je sache et qui font partie de l'histoire du Royaume. *L'Âge de Raison* n'a jamais eu la moindre importance, c'est une cérémonie qu'on célèbre pour la forme et il n'en a jamais été autrement dans ce Royaume. On a peut-être, une fois ou deux, fait dire trois messes au lieu d'une seule, et le Conseil a cru qu'on avait fait un effort particulier cette fois-là. C'est tout ce qu'il y a jamais eu.

— Écoute-moi bien, Smine, dit Enguerrand en la prenant par le cou, je n'aime pas cette idée soudaine de Rembrondte et j'ai peur. Voici ce que nous allons faire : toi, tu vas réfléchir à la façon de contourner le problème en infléchissant la volonté d'Arteur. Essaie de voir si tu ne pourrais pas le faire changer d'idée, sinon sur toute l'affaire, du moins en partie. Tu pourrais essayer de gagner des petits morceaux de liberté qui nous permettraient de transformer cette fête en ce que nous voulons. Quant à moi, je vais aller fouiller dans les archives du Royaume et chercher s'il y a eu un précédent et ce que mon ancêtre Bouffon a inventé.

Il prit rapidement congé du Prince et courut à la bibliothèque royale qui se trouvait sous les combles du palais. Il sortit des rayons deux ou trois gros volumes qu'il se mit à feuilleter rapidement. Après trois longues heures de lecture, il trouva enfin ce qu'il cherchait. Il y avait eu, quatre siècles auparavant, un Bouffon dont on avait tellement parlé que sa renommée était parvenue à traverser le temps et que tout le monde le connaissait encore. C'était le Bouffon Johanne le Bègue. Voici ce qu'il écrivait : « En l'an 9 il y eut une épidémie de peste, suivie peu après d'une longue famine. Le peuple des ponts s'est révolté et le Roi, pour mater l'insurrection, dut ouvrir ses greniers personnels. Afin qu'une telle situation ne se reproduise plus, il inventa qu'on ferait un festival de deux semaines de *L'Âge de Raison* au printemps de l'an 10. Je faisais dire une messe d'habitude et je faisais une petite procession de Carême, rien de plus. J'avais tellement réduit les proportions de la fête qu'on ne se rendait pas compte quand elle avait lieu. Ils voulaient que j'organise un Carême de deux semaines avec processions continuelles et moralités. Les gens devaient se remplacer pour processionner et c'est le Conseil qui devait écrire les moralités qu'on allait jouer tous les jours à midi et à minuit. Je ne savais comment empêcher cela, on m'avait lié les mains et je devais obéir aux ordres de l'Université et du Couvent. Je me suis fabriqué un boomerang et c'est comme ça que nous avons joué, toutes ces deux semaines, avec les religieuses. Ça s'est très bien passé et la fête fut un succès, mais ni le Roi ni le Conseil n'ont plus jamais insisté après ça pour en faire une circonstance exceptionnelle. Et *L'Âge de Raison* redevint ce qu'il avait été, un jour férié et une petite procession de Carême. »

— Qu'est-ce qu'il voulait dire par « boomerang » ? pensait Enguerrand qui retournait dans les appartements de Smine. Il n'a sans doute pu écrire ce qu'il avait réellement fait et il a essayé d'en parler en code. Mais qu'est-ce que c'était que ce boomerang, nous ne le saurons jamais. Smine, dit-il en entrant, est-ce que tu sais de quelle façon on peut utiliser un boomerang lors d'un spectacle ?

— J'en ai déjà entendu parler, dit Smine. Des gens le faisaient autrefois, des farceurs. C'était une sorte d'attrape, il me semble. Mais je ne me souviens pas de ce qu'on m'a dit, je ne retiens rien de ces choses-là.

— Qu'est-ce que c'était qu'un boomerang ? dit Enguerrand. Je veux le savoir.

*
* *

« Comédie, est-ce que tu sais ce que c'est qu'un boomerang ? » dit Lyly.

Ils étaient assis au bord du fleuve et regardaient passer les grandes caravelles aux innombrables voiles.

— Un boomerang, dit Comédie. C'est un bâton.

— Je ne te parle pas du bâton, dit Lyly. Je sais qu'il y a une autre sorte de boomerang. C'est celui-là qui m'intéresse.

— Je ne peux pas t'en parler, de celui-là, dit Comédie. C'est un secret. Il y avait une sorte de terreur dans ses yeux. Pourquoi veux-tu ça, qui t'a parlé d'un boomerang ?

— Johanne le Bègue en parle dans une de ses chroniques. Ils ont utilisé un boomerang pour la mi-carême. Ils ont saboté une mi-carême avec ça.

— Laisse passer la mi-carême tranquillement et ne t'occupe pas de ces histoires, dit Comédie, ça vaudrait mieux pour toi. Moins tu en sais là-dessus, mieux tu te portes.

— Cette année la mi-carême sera terrible, dit Lyly. Ils vont faire *L'Âge de Raison* au complet. Pendant deux semaines. Il va falloir tous y passer. Ils vont le faire comme ils ont toujours voulu qu'il soit fait, avec toutes les cérémonies. Ils vont mettre le paquet et on va avoir *L'Âge de Raison* tel qu'il n'a jamais eu lieu. Cela, je crois que c'est pire qu'une histoire de sorcières et de boomerang. Cela me paraît pire que tout.

— Non, dit Comédie qui avait réfléchi un instant. Je ne sais rien. Je n'ai jamais rien entendu sur les boomerangs.

— Je vais demander à Mississipi Free, dit Lyly. Elle, elle va me le dire.

— Demande-le à Mississipi Free si tu veux, dit Comédie. Personne ici n'a entendu parler du boomerang de Johanne le Bègue.

Lyly courut à la maison de Mississipi Free, qui était chez elle en train de tricoter au milieu de son désordre de flacons.

— Mississipi Free, dit-il, je veux savoir quelque chose, je veux que vous me parliez du boomerang de Johanne le Bègue.

Elle se raidit et lui jeta un regard sournois.

— Pourquoi viens-tu me demander ça ? dit-elle. Qui est-ce qui t'a parlé de ça ?

— C'est le Bouffon Enguerrand, dit Lyly. Il a lu quelque chose là-dessus dans les archives du château.

— Va-t'en, je n'ai pas le temps de te parler, dit Mississipi Free. J'ai du travail.

— Écoutez, je ne partirai pas d'ici avant que vous m'ayez dit ce que vous savez, dit Lyly en s'assoyant sur un coin de la table. Je suis fermement décidé à rester ici jusqu'à ce que je sache ce qu'est le boomerang.

— Ne parle pas si fort, bon sang, dit la vieille mendiante, tu vas réveiller les morts.

— Balivernes ! dit Lyly. Qu'est-ce que c'était qu'un boomerang ? Vous-même, l'avez-vous déjà utilisé ? Avez-vous vu qu'on l'utilisait devant vous ? Quand était-ce ? Quand les citoyens de Varthal se sont-ils servis du boomerang pour la dernière fois ?

— Oh, je n'étais pas en vie, dit Mississipi Free. Pour sûr, mon doux, je n'ai jamais vu ça de ma vie.

— Mais qu'est-ce que c'est ? Vous le savez, je le vois bien.

— Écoute, mon petit, dit la mendiante, je ne sais pas ce que c'est qu'un boomerang. Sur mon honneur, je ne sais pas ce que c'est. Mais j'en ai entendu parler, oh oui ! Mais je ne sais pas ce que c'est. Personne ne sait. Personne ici. Tu fais mieux d'oublier ça, crois-en ma parole. C'est une mauvaise histoire pour toi. Oublie ça.

— Mississipi Free, si je n'ai pas ce boomerang, ils vont faire *L'Âge de Raison*. Je te l'assure, tout le monde va y passer, on ne pourra pas l'empêcher, ils ne vont pas demander son avis au Bouffon, ils vont le faire sans lui.

— En tout cas, je ne veux pas m'occuper de ça, dit la vieille. Si tu veux à tout prix faire quelque chose, dis à Comédie d'aller voir la sage-femme pour toi. Maintenant, déguerpis, c'est tout ce que je te dirai. Demande à Comédie d'aller trouver la sage-femme.

*
*   *

Comédie dut donc retourner chez la vieillarde qui l'avait déjà aidée le jour de l'arrestation de Lyly. Elle la trouva au lit, à cette heure du souper, avec cinq ou six gros volumes sous elle.

— Comédie, ma petite fille, qu'est-ce qui t'amène encore ? dit-elle. C'est déjà la troisième fois que je te vois depuis Noël.

— Je ne veux pas te déranger, dit Comédie, je sais que tu ne veux pas qu'on te dérange, mais c'est pour une affaire très urgente. Elle baissa le ton et, s'approchant de la vieille, lui chuchota à l'oreille : Ils vont faire une mi-carême, ils vont faire *L'Âge de Raison,* c'est le Conseiller qui l'a décidé, ils ne demanderont pas le consentement du Bouffon, ils vont le faire au complet.

— Et qu'est-ce que tu veux de moi ? Je suis si vieille, je serais capable de les laisser agir. Que les gens se débrouillent. Je n'empêcherai rien, je ne peux pas l'empêcher.

— Les pèlerins cherchent le boomerang de Johanne le Bègue.

— Qui cherche ça ? dit la vieille qui s'était dressée dans son lit. C'est le Bouffon Enguerrand qui cherche le boomerang de Johanne ? Dis-lui de laisser tomber, il est trop faible pour s'occuper de ces choses-là, il n'a pas la santé requise.

— C'est Lyly qui m'a parlé du boomerang, ce sont les gens de Spenntel-Hoguel, je te le répète, qui veulent le boomerang.

— Les gens de Spenntel-Hoguel ? dit la vieille. Les gens de Spenntel-Hoguel peut-être. C'est un courageux, celui-là ? Envoie-le moi, moi je lui dirai ce qu'il doit faire.

Comédie repartit et, quelques heures plus tard, c'est

Lyly lui-même qui se présentait à la maison de la sage-femme.

— Approche, dit-elle de son lit, approche sous la lumière, que je regarde ton visage. Oui, tu as bien la tête que j'imaginais. Es-tu sûr que tu n'es pas un peu froussard ? Je vois que tu es un peu froussard. Est-ce que tu as peur de moi ? Si tu as déjà peur de moi, comment pourras-tu aller chercher le boomerang là où il est ? Tu ne pourras pas.

— Je n'ai pas peur, dit Lyly. Je suis méfiant, c'est différent.

— Il faut que tu ailles au séminaire d'Holintrik, à trente milles à l'est d'ici, à la campagne. Es-tu capable d'aller jusque-là avant les fêtes ? Oui. Tu demanderas un cheval à Enguerrand. N'y va pas tout seul, c'est plus facile à deux ou à plusieurs. Là-bas tu verras Béatrice. Dis-lui que tu viens de ma part. C'est Béatrice qui t'expliquera, moi, c'est fini. Si tu pars maintenant, vas-tu avoir le temps de revenir pour le Carême ?

— Mais pourquoi dites-vous que je dois être courageux ? Qu'est-ce que je vais trouver là-bas ?

— Je ne le sais pas.

Chapitre XI

Le séminaire d'Holintrik

Il faisait nuit noire. Lyly courut chez Enguerrand, qui n'était pas à la maison. Il se rendit au palais royal et demanda au valet qui lui ouvrit si Enguerrand était chez le Prince. Smine entendit sa voix du salon et vint à sa rencontre.

— Est-ce que vous m'en voulez toujours ? demanda-t-elle, un peu gênée.

— Non, je vous ai pardonné, dit Lyly, un peu froid. J'ai su que vous aviez été malade, j'ai compris ce qui vous était arrivé. Mais ne me sautez pas au cou ce soir, s'il vous plaît, je suis pressé. Je cherche Enguerrand.

— Il n'est pas là, il doit être au théâtre, dit Smine. Est-ce que vous avez des nouvelles ?

— Oui, je dois partir ce soir pour Holintrik. J'ai besoin de deux chevaux, je vais emmener Rozie. Pourriez-vous me prêter deux chevaux ?

— Bien sûr, dit Smine. Je vais vous faire une autorisation. Allez à l'écurie avec ce billet et vous choisirez les chevaux dont vous avez besoin. Vous allez être revenus dans deux jours ?

— Oui, mais ne comptez quand même pas trop sur moi, dit Lyly. Si vous trouvez autre chose entre-temps, faites tout ce que vous pouvez comme si je n'allais pas revenir. On ne sait jamais et je n'ai pas la certitude de trouver ce boomerang.

Il courut encore, après toutes ces courses de la journée, il courut encore à l'écurie où il fit seller en vitesse les deux meilleurs chevaux du Roi, puis s'en fut chercher Rozie à l'auberge. Celui-ci était déjà couché, car il était minuit, et Rozie, quand il n'allait pas boire avec des amis, se couchait et se levait très tôt.

— Pas de sommeil cette nuit, dit-il en brassant le borgne qui s'accrochait à ses couvertures. On se lève et on s'en va.

— Mais qu'est-ce qu'il y a ? dit Rozie. Je dormais si bien. Est-ce que la maison est en feu ?

— C'est pareil, dit Lyly. J'ai un cheval qui t'attend dehors, nous partons ce soir toi et moi pour Holintrik.

— Holintrik ? dit Rozie qui se réveillait de plus en plus. Qu'est-ce que c'est ça ? Est-ce qu'on vient encore de nous accuser ? Est-ce qu'on quitte la ville ? Je rêvais justement qu'on marchait tous les trois sur une route enneigée.

— On part pour deux jours, idiot, dit Lyly. On n'est pas près de quitter Varthal, oublie ça. Tu ne marcheras plus sur les routes avant longtemps. Et grouille-toi, il n'y a pas une minute à perdre. Tu vas monter le meilleur coursier du Roi.

Les chevaux les attendaient en face de l'auberge. Ils accrochèrent leurs sacs de provisions à la selle et quittèrent la ville comme s'ils avaient eu le diable à leurs trousses. À la sortie du pont, Rozie, qui jusque-là s'était amusé avec son cheval, commença à se réveiller réellement.

— Qu'est-ce qu'on va faire à Holintrik ? demanda-t-il. Pourquoi le séminaire d'Holintrik ?

— Je t'emmène au séminaire, dit Lyly, comme on te l'avait dit. Tu vas aller faire ta prêtrise.

— Je ne te crois plus, dit Rozie.

Il faisait très sombre sur la route de gravelle qu'ils venaient d'emprunter à la sortie du pont, seul un mince rayon de lune éclairait la route et Rozie, qui tenait mal en selle, avait toujours peur que son cheval ne trébuche sur un caillou du chemin et ne le désarçonne.

— C'est pas chaud, dit-il. Et cette nuit est sinistre. Ces corneilles qui nous accompagnent, es-tu sûr que ce ne sont pas des vieilles sages-femmes déguisées en oiseaux de malheur ? Je n'aime pas l'idée d'aller au séminaire. Tu riais de moi tout à l'heure, mais il y avait peut-être du vrai dans ce que tu disais. On ne devrait jamais approcher de ces endroits-là, ils sont néfastes essentiellement. On sera contaminés par l'ambiance, tu verras, et on voudra y rester.

— Arrête de dire des bêtises, dit Lyly. On n'est pas sitôt partis et tu dois déjà commencer à trembler. Reste tranquille, on aura besoin de toutes nos forces quand on sera là-bas. Ne commence pas à me démoraliser.

— Ton regard a une drôle d'expression dans le noir, dit Rozie.

Lyly regarda son compagnon et se retourna brusquement vers la route.

— Écoute, Rozie, arrête, dit-il, tu cherches à me terroriser. Essaie de contrôler ton imagination.

— Tu n'as pas trouvé, quand tu m'as regardé, qu'on avait l'air de deux autres ? dit Rozie.

— C'est moi, dit Lyly. Je suis la même personne, c'est idiot. Si la sage-femme t'avait seulement regardé deux minutes, elle n'aurait jamais pensé que tu devais m'accompagner. Elle m'aurait conseillé d'y aller tout seul. Ta poltronnerie est inscrite sur ton visage.

— Oh, ne me décourage pas, Lyly, dit Rozie qui avait envie de pleurer. Je ne suis pas déjà tellement encouragé, il faut que tu sois bon avec moi. J'étais donc mieux dans mon lit, ajouta-t-il en frissonnant. Cette nuit affreuse est de mauvais augure. Qu'est-ce que ça nous fait, que toute la population de Varthal passe par *L'Âge de Raison* ? On s'en ira ailleurs.

— Justement, je n'ai pas l'intention de passer ma vie à m'en aller, dit Lyly. Rappelle-toi ce qu'on vivait il y a à peine trois mois, rappelle-toi comme on avait froid et comme on était fatigués sur cette même route. Non, je préfère prendre mon destin en main.

Il y avait une maison par-ci par-là, une vieille ferme écrasée au milieu de grands arbres et de ses bâtiments secondaires. Aucune lumière nulle part et personne sur la route. Ils chevauchèrent quelque temps en silence.

— Je m'endors, dit Rozie. On ne pourrait pas dormir quelque part et prendre la route demain matin ?

— Pas question de dormir, dit Lyly. On va aller boire un café ou deux à la première auberge qu'on verra, c'est tout ce qu'on peut faire. Il faut être à Holintrik demain dans la journée. Compte, ajouta-t-il, si tu ne veux pas t'endormir, compte aussi loin que tu peux.

Il y eut un long silence, puis Rozie reprit :

— J'ai compté jusqu'à neuf cent quatre-vingt-dix-neuf mille neuf cent quatre-vingt-dix-neuf et je ne sais plus ce qui arrive après.

— Recommence.

— Si je recommence, ce sera tellement ennuyant de compter la même chose que je vais recommencer à m'endormir. Comment ça s'appelle après neuf cent quatre-vingt-dix-neuf mille neuf cent quatre-vingt-dix-neuf ?

— Invente un nom, c'est pareil, dit Lyly. Un Varthal, un Varthal un, un Varthal deux, un Varthal deux mille deux cents, c'est comme ça qu'il faut faire.

Ils se turent encore pendant un bon bout de chemin, puis aperçurent le fanal d'une taverne.

— C'était le temps, dit Rozie, je suis rendu à cinquante-quatre chevaux, trois cent cinquante-six étoiles, trente-trois Varthal, dix huit mille quatre cent vingt-trois.

Ils firent une courte halte, pour réveiller Rozie avec du café, et reprirent rapidement la route d'Holintrik. Lorsque le jour se leva, ils n'étaient plus qu'à une dizaine de milles de leur destination. Ils arrivèrent à Holintrik à dix heures du matin par une chaude journée ensoleillée. Une pancarte, à la croisée d'un chemin, indiquait qu'ils devaient couper à travers champs pour trouver le séminaire. Après avoir traversé un bosquet de grands saules pleureurs ils virent enfin les murs austères du vieux couvent. À l'entrée de ce qui ressemblait à un antique pont-levis, un ouvrier, monté sur une gigantesque machinerie orange, s'affairait à creuser un grand trou dans la terre.

— Qu'est-ce que vous faites là, Monsieur ? demandèrent-ils. Et quel est cet engin ?

— C'est une pelle mécanique, Messieurs, dit l'ouvrier. Je creuse une cave qui servira de soubassement à l'annexe.

Le séminaire était assez joliment entouré. Construit dans une grande plaine, il se trouvait au milieu de vastes champs qui s'étendaient à perte de vue et, n'eût été la couleur sale de ces briques qui déchiraient le ciel, il aurait été assez comique avec toutes les fleurs de moutarde et les abeilles qui bourdonnaient partout autour de lui.

Une vieille dame, qu'ils n'avaient pas vue et qui était derrière la pelle mécanique, s'avançait vers eux.

— Bonjour, Messieurs, dit-elle d'une voix chevrotante avant qu'ils ne l'eussent aperçue, qu'est-ce qui nous vaut l'honneur de votre visite ?

Elle était bizarrement vêtue d'une longue, très longue robe de chambre à pois dont la queue traînait derrière elle dans l'herbe.

— Heureusement que je suis venue regarder la pelle mécanique, parce que vous n'auriez jamais pu entrer ici à cette heure-là. Tout le monde est encore couché.

— Ils se lèvent bien tard, ici, dit Lyly.

— Il n'est pas tard, Monsieur, dit la dame, il est à peine six heures et le soleil vient de se lever.

— C'est impossible, dit Rozie. Le soleil s'est levé il y a trois ou quatre heures, alors qu'on était sur la route.

— Vous devez faire erreur, dit la dame. Je vous assure que le jour vient juste de poindre, n'est-ce pas, Monsieur ?

Elle s'était adressée à l'ouvrier. Celui-ci répondit qu'en effet il venait de sortir sa pelle, il y avait une demi-heure à peine, et qu'il faisait encore noir à ce moment-là.

— On était peut-être moins loin qu'on croyait, tout à l'heure, dit Lyly en regardant Rozie.

— Le temps nous a paru long, dit Rozie, qui avait quand même l'air soupçonneux.

— Vous avez une bebitte à patate sur la tête, dit la dame en donnant une pichenette sur le nez de Rozie. Vous en avez une aussi, dit-elle à Lyly, et elle lui donna une pichenette sur l'oreille. Ces bêtes-là sont partout ici. On vous donnera quelque chose pour les faire fuir.

— Nous sommes venus voir Béatrice, dit Lyly. Mais peut-être qu'elle n'est pas encore levée ?

— Béatrice ? dit la dame à la robe de chambre à pois, Béatrice est sûrement réveillée. Venez avec moi.

Ils franchirent un petit pont qui avait l'air d'un pont-levis. À l'entrée, un garde leur coupa le chemin avec sa hallebarde.

— Vaporisez-les tout de suite, dit la dame. Ils doivent être vaporisés. Ensuite vous les laisserez entrer.

Le garde prit un petit flacon qui avait l'air de contenir une sorte de gaz parfumé et les en vaporisa des pieds à la tête.

— C'est pour les bebittes à patate, comprenez-vous, dit la dame. Comme ça, vous allez être tranquilles. Suivez-moi, je vais vous conduire à Béatrice.

Ils traversèrent une longue enfilade de couloirs et de petits boudoirs ou d'antichambres qui avaient l'air gentiment décorés et clairs, puis s'arrêtèrent en face d'une grande porte en métal. La dame mit un doigt sur ses lèvres.

— Ne faites pas de bruit, dit-elle, au cas qu'elle ne serait pas encore réveillée.

Ils entrèrent à sa suite dans une grande pièce aux murs roses, protégée de la clarté du jour par les lourds rideaux de coton qu'il y avait à la fenêtre. Dans un coin, d'un lit à baldaquin, montait un gros ronflement.

— Approchez-vous, dit-elle, mais ne faites surtout pas de bruit, elle n'est pas réveillée. Regardez comme elle est mignonne, approchez.

Ils s'avancèrent. Un bébé de trois ou quatre ans, couché sur ses genoux repliés, les mains sur la tête, dormait à poings fermés.

— Mais c'est Béatrice ? dit Lyly.

— Bien sûr, dit la dame. Est-ce que c'est assez un beau bébé ! Mais attention, on va la laisser dormir encore un peu, la pauvre petite, vous viendrez la voir plus tard. Vous êtes gentils d'avoir fait un si long voyage pour venir voir Béatrice. Venez, on va aller prendre le déjeuner sur l'herbe.

On suivit encore une autre enfilade de couloirs, puis

elle les fit entrer dans une sorte d'immense serre, qui avait l'air de se trouver au centre de la maison. Du moins crurent-ils que c'était une serre, car le toit de la pièce était vitré et on s'y sentait comme dehors.

— Ah ! ils sont levés ! dit la dame à la robe de chambre. Mais c'est peut-être vous qui aviez raison s'ils sont déjà levés !

Il y avait des allées de plantes de toutes sortes, et une dizaine de bonshommes ventripotents en pyjama orange étaient en train d'arroser chacun son coin du jardin. Au milieu de la pièce, sur un dallage blanc, assis à une table de jardin en fer forgé blanc, des gens étaient en train de déjeuner.

— Ces Messieurs sont venus voir Béatrice, dit la dame à la robe de chambre à pois.

— Bonjour, Messieurs, dit un des gros bonshommes en pyjama qui était en train de manger ses toasts. C'est gentil d'être venus de si loin pour voir le bébé. Est-ce que vous trouvez qu'on a un beau bébé ?

— Nous sommes venus de Varthal, dit Lyly. C'est la sage-femme qui nous a envoyés. Nous avons une question à poser à Béatrice.

— Attendez qu'elle se réveille, dit le gros monsieur, elle a été malade hier soir, et je m'en suis occupé toute la nuit. Elle va se lever plus tard que de coutume. Est-ce que vous avez déjeuné ?

— Je n'ai pas mangé et je n'ai même pas dormi, dit Rozie. Nous avons chevauché toute la nuit.

— Vous étiez bien pressés, dit un autre monsieur beaucoup plus mince, mais qui portait le même genre de pyjama orange à pois noirs.

Quelqu'un apporta de nouvelles chaises et ils s'assirent eux aussi à la petite table blanche.

— On va organiser *L'Âge de Raison* à Varthal, dit Lyly.

— *L'Âge de Raison*? Le vrai? dit le monsieur mince, qui s'appelait Hector.

— Oui, dit Lyly. C'est une idée du Conseiller Rembrondte. Ils le font sans passer par le Bouffon. Alors... mais je suppose que vous avez déjà entendu parler de Johanne le Bègue?

— Johanne le Bègue? dit Hector. Celui qui est libraire à Varthal, n'est-ce pas?

— Non, dit Lyly. Il fut Bouffon sous le Roi Henri en l'an 10.

— Ah, Johanne le Bègue, je le replace, dit le gros monsieur, qui s'appelait Nestor. Je vois qui c'est. Il est célèbre encore maintenant.

— C'est ça, dit Lyly.

— Eh bien? Et les fêtes de *L'Âge de Raison*? Qu'est-ce qu'elles ont à voir avec ce Johanne le Bègue? dit Hector.

— J'y arrive, dit Lyly. En l'an 10, Johanne s'est servi d'un boomerang pour contrevenir aux règles imposées par le Roi pour la cérémonie du Carême. Mais il n'a pas dit ce que c'était que cet engin, ce boomerang. Or nous en avons besoin. J'ai vu la sage-femme et elle m'envoie questionner Béatrice, voilà toute l'histoire.

— Ah, dirent les messieurs en même temps en se regardant mutuellement, ils veulent un boomerang pour le Carême.

— Mais je ne savais pas que Béatrice était si jeune, dit Lyly. Peut-être que vous pourriez me renseigner aussi bien qu'elle.

— Si la sage-femme te dit d'aller voir Béatrice, c'est à elle que tu dois parler et non pas à nous. Est-ce que tu crois que Béatrice sait ce qu'est un boomerang, Nestor ?

— Je ne sais pas, dit Nestor, je ne suis pas sûr de lui avoir parlé d'un boomerang, Hector. Peut-être qu'elle ne sait pas ce que c'est, Monsieur Lyly, parce que ça ne fait pas partie de mes connaissances à moi non plus. À moins qu'un autre ici sache ce qu'est un boomerang et l'ait enseigné à Béatrice.

— Ce n'est pas moi, dit un autre qui était barbu et qui s'appelait Nestley.

— Pas moi non plus, dit un Monsieur Kellogg qui portait un pince-nez.

— Je vais aller voir les jardiniers, dit Nestor. C'est peut-être un de ceux-là qui en aurait parlé à Béatrice.

— Vous allez avoir de la misère à trouver votre boomerang, dit Hector. Pour moi, la sage-femme s'est moquée de vous.

— Elle n'avait pas l'air de se moquer, dit Lyly. Elle avait l'air de craindre pour ma vie, et m'a donné l'impression que je m'engageais dans une aventure périlleuse.

— C'est bien la preuve qu'elle s'est moquée de vous, dit Kellogg.

— J'en suis bien content, dit Rozie en poussant un soupir de soulagement. Tant mieux si personne ne sait ce qu'est cet instrument de malheur. Vous m'enlevez un grand poids que j'avais sur le cœur.

— Idiot ! dit Lyly. On ne peut pas revenir les mains vides. Il vaudrait mieux aller chercher cet instrument chez le diable lui-même plutôt que de revenir les mains vides à Varthal.

— Béatrice est réveillée, dit la dame qui s'appelait Duncan Hines.

Elle était allée faire un petit tour dans la maison et revenait en tenant l'enfant par la main.

Dès qu'elle eut crié cette phrase, toute la table se leva et les jardiniers arrêtèrent leurs travaux pour venir dire bonjour à Béatrice. Elle embrassait tout le monde et leur donnait des petites tapes sur la tête. Puis Monsieur Nestley la prit sur ses épaules et l'emmena à la table, où elle avait une chaise sur le siège de laquelle on posa trois gros coussins.

— Béatrice, est-ce que tu veux du jus d'orange, dit Monsieur Kellogg, ou bien du café ?

— Je veux du café, dit Béatrice avec un petit sourire à Monsieur Kellogg.

— Quelle horreur ! dit un des jardiniers, on ne peut pas lui donner du café, c'est impensable ! Si vous donnez du café à Béatrice, je fais la grève, je ne travaille plus de la journée.

— Est-ce que tu veux du café, Béatrice ? dit Monsieur Kellogg. MacGrégor va faire la grève si on prend du café.

— Je ne veux pas que MacGrégor fasse la grève, dit Béatrice. Je vais boire du jus d'orange.

— Est-ce que tu vas prendre des œufs ou bien des beignes ? demanda Monsieur Kellogg.

— Je vais prendre des beignes, dit Béatrice.

— Quelle horreur ! Encore des beignes ! dit le jardinier MacGrégor. On avait décidé qu'on ne prenait plus de beignes… Moi, s'il y a des beignes, je fais la grève.

— J'ai bien peur qu'elle veuille quand même des beignes, dit Monsieur Nestley. Elle raffole des beignes. Béatrice, dis-nous ce que tu vas faire.

— Je veux des beignes, dit Béatrice, et tant pis pour la grève de MacGrégor.

— Elle peut renoncer à son café, dit Monsieur Kellogg, mais c'est plus difficile de renoncer aux beignes.

— Moi aussi, je fais la grève, s'il y a des beignes, dit un autre jardinier, Macduff celui-là.

— Je vais prendre des beignes aujourd'hui, dit Béatrice à Monsieur Kellogg. Même si MacGrégor et Macduff ne travaillent pas.

— Ils travaillent du côté des roses, dit Monsieur Kellogg. Est-ce que c'est toi qui vas les remplacer s'ils font la grève ?

— Oui, je les remplacerai, dit Béatrice.

— J'ai consulté mon ami et nous ferons grève aussi s'il y a des beignes, dit un troisième jardinier qui s'appelait Planters. Gustave et moi nous ne travaillerons pas. Ça ferait quatre grèves, Béatrice.

— Ils s'occupent des canards, dit Monsieur Kellogg. Béatrice, serais-tu prête à t'occuper des canards en plus d'arroser les roses ?

— Je vais manger des œufs ce matin, dit Béatrice à Monsieur Kellogg. Je ne veux pas qu'ils soient quatre en grève.

— Pourquoi ne veux-tu pas t'occuper des canards pour manger des beignes ? demanda Monsieur Nestley.

— C'est trop difficile, dit Béatrice. Mais je serais capable de m'occuper des roses, ça oui !

— C'est curieux, dit Nestor à Hector. Maintenant elle est prête à s'occuper des roses.

— Elle a eu envie de s'occuper des roses, dit Monsieur Kellogg à Monsieur Planters. Demain on lui achètera un petit arrosoir.

— Elle veut s'occuper des roses, dit Monsieur Nestley à MacGrégor, vous devriez l'emmener visiter les roses cet après-midi.

— Est-ce que tu as remarqué qu'on avait des invités, Béatrice ? dit Nestor.

— On a des invités ? dit Béatrice.

— Oui, ici, en face de toi, dit Monsieur Nestley. Celui-ci s'appelle Lyly et celui-là Rozie. Ils viennent de Varthal, ils sont partis hier de Varthal à cheval et sont arrivés ce matin.

— Est-ce que tu te rappelles de Varthal ? demanda Monsieur Kellogg en caressant le cou de la fillette. Tu es allée à Varthal il y a deux mois. Est-ce que tu te souviens du nom de la rue principale de Varthal ?

— Il ne faut pas la fatiguer, dit Hector à Monsieur Kellogg. Elle ne peut pas chercher la réponse. Elle est trop occupée de manger.

— Ne la fatiguons pas, dit MacGrégor à Macduff. Retournons travailler.

— Retournons travailler, dit Monsieur Planters à ses amis.

— Dis-moi Béatrice, dit Hector, est-ce que quelqu'un t'a déjà expliqué ce qu'est un boomerang ?

— Un boomerang ? dit Béatrice. Qu'est-ce que c'est, un boomerang, Nestor ?

— Elle ne sait pas ce que c'est, dit Nestor à Hector.

— J'ai bien peur que vous ne repartiez bredouilles, dit Hector à Lyly.

Béatrice avait fini de manger et Madame Duncan Hines l'emmena à la cuisine pour la débarbouiller.

— Nous pourrions chercher, dit Monsieur Kellogg à Nestor. Si nous cherchions tous ensemble et si on y mettait le temps et les fonds nécessaires, on finirait sûrement par trouver le secret du boomerang.

— Mais je n'ai pas le temps, dit Lyly. J'ai tout au plus deux jours pour rentrer à Varthal.

— Eh bien, alors nous chercherons cet après-midi, dit Monsieur Kellogg. Nous ferons un séminaire cet après-midi et nous nous pencherons uniquement sur cette question. Si nous ne trouvons rien, nous le referons ce soir.

— Et si on n'a rien trouvé ce soir, nous reprendrons le séminaire demain, dit Hector.

— Alors, quand vous repartirez, dit Nestor, vous posséderez certainement un élément de réponse.

— Est-ce que tu pourrais t'occuper de demander une subvention au gouvernement ? demanda Hector à Nestor. Il faut la demander maintenant, si on veut l'avoir pour le début de l'après-midi. On est déjà un peu en retard et tu devras insister pour que le courrier se dépêche.

— Qu'est-ce que je vais écrire sur le formulaire ? dit Nestor.

— Une subvention pour étudier la question du boomerang, tu demandes une subvention de groupe, dit Hector. N'est-ce pas, Monsieur Kellogg, c'est à peu près tout ce qu'il doit faire ?

— Ça suffira, dit Monsieur Kellogg à Nestor. Demandez une subvention de groupe pour la durée de l'après-midi. Et si on n'a pas fini on en demandera une autre ensuite pour la soirée.

— Je suis bien content que vous acceptiez de travailler cette question, dit Lyly. Pour nous et tous les citoyens de Varthal.

— Vous allez voir, on trouvera bien quelque chose, dit Monsieur Kellogg. On ne peut pas vous laisser repartir comme ça.

— Je vais aller fouiller dans la bibliothèque, dit Monsieur Nestley. Est-ce que vous venez avec moi, Macduff ? cria-t-il en s'approchant du jardinier. Je vais fouiller dans les archives.

Monsieur Nestley partit avec deux ou trois jardiniers.

« Attention, nous allons commencer la séance, dit Monsieur Planters en frappant trois gros coups sur la table avec un marteau. Monsieur Kellogg, qui êtes-vous maintenant ? »

Ils étaient assis dans une grande salle basse de plafond, autour d'une longue table. Monsieur Kellogg se leva et annonça :

— Je suis la Mi-carême.

— Et vous, Monsieur Nestley, qui êtes-vous ? dit Monsieur Planters.

— Je suis le comédien, dit Monsieur Nestley. Je m'appelle Hugh, je suis bouffon au théâtre de Chazel.

— Est-ce que vous pourriez aussi être dramaturge ? commença Nestor.

— Oui, je pourrais être dramaturge, dit Monsieur Nestley alias Hugh.

— Ainsi vous êtes dramaturge, dit Monsieur Kellogg alias la Mi-carême. J'ai entendu parler de vous. Vous avez eu du succès avec une pièce de théâtre aux Deux Lanternes.

— Oui, j'ai eu beaucoup de succès, dit Hugh.

— Et vous, Monsieur, dit Kellogg en s'adressant à Macduff, qui êtes-vous ?

— Je suis Hugh, un comédien de Chazel, dit Macduff.

— Je croyais que c'était Nestley qui s'appelait Hugh, dit la Mi-carême. Qui êtes-vous alors, Nestley ?

— Je ne suis pas là. Vous devez vous adresser à quelqu'un d'autre, dit Monsieur Nestley. Parlez à Macduff, c'est lui qui est Hugh.

— Alors Macduff, je veux dire Hugh, vous allez organiser la fête. Que comptez-vous en faire ?

— Je ne suis pas Hugh, dit Macduff, je ne suis pas là. Vous vous trompez de personne.

— Qui est Hugh ? dit Monsieur Kellogg. Est-ce que c'est Nestley ? Monsieur Nestley, qui êtes-vous maintenant ?

— Je ne suis pas là, dit Monsieur Nestley, Hugh est quelqu'un d'autre, cherchez quelqu'un d'autre.

— Lequel est Hugh, dit Monsieur Kellogg alias Mi-carême, est-ce que c'est vous, Nestor ?

— Je ne suis pas Hugh, dit Nestor, je suis quelqu'un d'autre.

— C'est vous Lyly, j'en suis sûr, dit la Mi-carême. Là, on ne peut pas se tromper. Vous avez eu un succès au théâtre de Chazel et vous devez organiser la cérémonie.

— Qu'est-ce que je dois répondre ? demanda Lyly à l'oreille de Monsieur Planters.

— Dites que vous ne comprenez pas. Laissez les autres répondre à votre place, dit Monsieur Planters.

— Ça va trop vite, je ne comprends pas, dit Lyly.

— C'est moi qui dois organiser la cérémonie, dit Monsieur Nestley. Je suis Hugh, un ami de Chazel, je fais du théâtre aux Deux Lanternes.

— Alors c'est à vous que je dois parler, Nestley, dit la Mi-carême.

— Commencez maintenant, Monsieur Kellogg, dit Planters. Vous devez commencer à l'agresser.

— Vous allez faire ce que je vous dis, dit la Mi-carême d'une voix tonnante, vous allez faire ce que je vous dis, Hugh, ou bien vous êtes renvoyé.

— Vous ne parlez pas à la bonne personne, dit

Monsieur Nestley, c'est celui-là à côté de moi, qui est Hugh.

— Est-ce que vous êtes Hugh ? Qui êtes-vous maintenant ? dit la Mi-carême à Lyly.

— Je n'ai pas suivi, dit Lyly.

— Je veux savoir qui vous êtes maintenant, dit la Mi-carême en criant.

— Je suis le même que d'habitude, répondit Lyly.

— Alors qui êtes-vous ? dit la Mi-carême. Lequel êtes-vous d'habitude ?

— Vous déraisonnez, dit Monsieur Planters. La Mi-carême devrait faire attention à ce qu'elle dit, elle déraisonne.

— Vous, Monsieur, dit la Mi-carême en s'adressant à Lyly, vous faites ce spectacle comme je l'ai décidé, sinon il va vous en cuire.

— Vous devriez parler à Macduff, dit Lyly, c'est Macduff qui est concerné.

— Vous vous êtes adressé à la mauvaise personne, Kellogg, dit le président de la séance, Monsieur Planters. Vous devriez faire attention. Je suis obligé de vous reprendre, vous voyez bien.

— Monsieur Macduff, qui êtes-vous devenu ? tonna Kellogg-Mi-carême.

— Je ne suis pas là, dit Macduff. C'est facile de voir que je ne suis pas là, je n'ai pas arrêté de le répéter.

— Parlez aux gens qui sont là, Kellogg, voyons, dit Monsieur Planters.

— Est-ce que vous êtes là, Lyly ? dit la Mi-carême.

— C'est Nestor qui va vous répondre à ça, dit Lyly.

— Oui, je suis là, dit Nestor. Qu'est-ce que vous voulez ?

— Nestor, dit la Mi-carême, qui êtes-vous maintenant ?

— Je n'ai pas changé, dit Nestor.

— Alors qui êtes-vous ? dit la Mi-carême.

— Je suis encore quelqu'un d'autre, dit Nestor.

— Je veux parler au comédien Hugh, dit la Mi-carême.

— Il n'est pas là, dit Lyly.

— Je vais vous parler, Lyly, dit la Mi-carême. Vous allez venir me voir demain au sujet du spectacle que je veux.

— Vous parlez à quelqu'un d'autre, dit Lyly, essayez de me parler à moi-même.

— Monsieur Kellogg, dit Planters, je suis obligé de vous disputer encore. Adressez-vous aux gens tels qu'ils sont.

— Je ne sais plus qui ils sont, dit Monsieur Kellogg.

— Alors parlez-leur comme vous pouvez, dit Planters.

— Mais à qui vais-je parler ? Je ne sais pas à qui je m'adresse, dit Kellogg.

— Vous avez le choix, dit Monsieur Planters, de vous taire ou de vous adresser à n'importe qui. Est-ce que vous voulez vous en prendre à Lyly ?

— Je ne sais pas ce qu'il est devenu, dit Kellogg. Je vais tomber sur quelqu'un d'autre. J'ai peur de me tromper.

— Vous allez vous tromper sûrement, dit Macduff.

— Nous levons la séance, dit Monsieur Planters.

*
* *

« Eh bien, vous avez votre boomerang, j'espère que vous êtes contents », dit Madame Duncan Hines qui raccompagnait les voyageurs à la porte du séminaire.

— Nous avons le boomerang ? demanda Rozie à Lyly. C'est peut-être que je n'ai pas dormi la nuit dernière, mais je n'ai rien compris à cet échange bizarre de phrases sans queue ni tête. Est-ce que nous avons réellement le boomerang, Lyly ?

— Madame, dit Lyly, je n'ai pas bien compris non plus.

— Ça paraît un peu compliqué, dit Madame Duncan Hines, mais vous allez saisir très vite, vous verrez. Ça va se désembrouiller quand vous allez y réfléchir. Vous êtes gentils d'être venus voir Béatrice. Je m'en rappellerai. J'espère que vous allez revenir ?

— Je serai content de revoir Béatrice, dit Rozie.

À la sortie du pont-levis, l'ouvrier était encore en train de creuser avec sa pelle mécanique. Madame Duncan Hines embrassa les voyageurs, puis s'assit dans l'herbe à l'endroit où elle se trouvait lorsqu'ils étaient arrivés le matin. « Vous nous écrirez, cria-t-elle quand ils furent en selle, écrivez-nous ce qui s'est passé à la fête. »

— Tu crois vraiment qu'on va comprendre ? demanda Rozie.

— On ne peut rien apprendre de plus ici, dit Lyly. Nous devons rentrer, c'est tout ce que je sais.

Le soir tombait. Ils chevauchèrent une heure dans la campagne, puis s'arrêtèrent pour manger les provisions qu'on leur avait données. Ils étaient tellement fatigués qu'ils parlaient à peine et avaient l'impression d'avoir oublié ce qui s'était passé au cours de la journée. Rozie n'avait pas même envie de compter pour se tenir éveillé et, en dépit de tout le café qu'il but dans une auberge le long de la route, il fermait les yeux à tout moment. Quant à Lyly, il avait renoncé pour l'instant à comprendre ce qu'on avait essayé de lui dire au sujet du boomerang, et son esprit était occupé par la pensée de la petite Béatrice. Il se demandait pourquoi la petite fille, connue de toute évidence de la vieille sage-femme des mendiants, pourquoi une enfant si jeune avait tellement d'importance et pourquoi on l'élevait ainsi, entourée de tant de professeurs, au séminaire d'Holintrik.

*
* *

« Voilà tout ce qui s'est passé, dit Lyly. Je vous ai dit l'essentiel, je crois, du moins l'essentiel de ce dont je me rappelle. Si vous y comprenez quelque chose, bravo ! »

Ils étaient rentrés à Varthal aux petites heures du matin et Rozie était allé se coucher sur-le-champ. Lyly, dont la mission n'était pas terminée, avait aussitôt couru chez le Bouffon Enguerrand qui l'attendait.

— Oui… peut-être… dit le Bouffon distraitement. J'ai déjà utilisé une méthode qui ressemble à celle-ci. Je vais y réfléchir encore, mais ces éléments pourraient bien me permettre de fabriquer l'instrument de riposte dont on a besoin.

Le Bouffon ne voulut pas laisser Lyly rentrer chez lui et l'installa sur le divan de l'un de ses nombreux salons, où il s'endormit immédiatement. Puis il passa lui-même la nuit dans sa salle de musique, à jouer de la harpe. Dès l'aube il se rendait au château du Roi.

Paresseux l'hiver, le Roi Arteur se levait très tôt dès le printemps venu, car c'était le temps de la chasse qui reprenait, et il s'en allait à la campagne, sur ses terres, sitôt après son déjeuner. Le Bouffon attendit une heure dans l'antichambre qu'Arteur se lève et, dès qu'on lui eut annoncé que le Roi était réveillé, il entra dans sa chambre sans prévenir.

— Qu'est-ce qui t'amène, Enguerrand ? dit le Roi. T'es bien matinal.

— Je dois m'occuper d'organiser la fête, Majesté, dit Enguerrand. Vous savez que la première manifestation commence demain. Alors j'ai réellement besoin de tout mon temps et j'ai à peine dormi.

— Et en quoi puis-je t'être utile ? demanda le Roi. Dépêche-toi parce que je m'en vais.

— Eh bien voilà, dit le Bouffon en s'assoyant au bord du grand lit, je suis venu vous expliquer comment nous allons procéder pour la cérémonie de demain. Ce ne sera pas long. Nous allons nous déguiser pour la circonstance, vous savez que nous avons cette habitude. Mais cette fois-ci, sur votre demande et afin que les gens s'amusent davantage, nous allons mettre un accent tout particulier sur les déguisements. Vous-même, Arteur, je voudrais que vous soyez méconnaissable. Je vais donc vous demander de venir au théâtre demain matin, où l'on vous costumera et vous transformera en saltimbanque.

— C'est fantastique ! dit le Roi. J'aimerais beaucoup me costumer en saltimbanque.

— N'est-ce pas, dit le Bouffon. Alors vous accompagnerez la bande de Cécil, qui sera avec les comédiens de Chazel. Vous passerez la matinée avec eux et vous pourrez vous amuser comme vous en aurez envie, sous ce déguisement, car on vous demandera de courir les tavernes et les places publiques jusqu'à la procession, qui aura lieu vers une heure et partira du palais. On annoncera à tout le monde que le Roi lui-même est déguisé et on laissera entendre qu'il est en chevalier, comme la plupart des seigneurs de la Cour. À une heure, je vous rejoindrai et nous ferons la procession ensemble, à peu près en tête. Ensuite vous ferez ce que vous voulez.

— C'est parfait, dit le Roi. C'est une excellente idée, je vais faire tout ce que tu me demandes. Est-ce que Rembrondte sera avec nous en saltimbanque ?

— Non, dit le Bouffon. Rembrondte m'a demandé, pour jouir de la surprise, que je choisisse moi-même votre déguisement sans le lui dévoiler.

— C'est parfait, dit le Roi, je sens que je vais avoir un grand plaisir avec cette fête. Tu fais bien les choses, Enguerrand.

— Je fais de mon mieux, dit Enguerrand.

— Je sais que tu fais l'impossible pour me faire plaisir, dit le Roi. Pour me faire oublier ce fâcheux incident récent avec tes nouveaux amis. Tu es un gentil garçon, je le sais.

— J'espère que vous serez content, dit le Bouffon. C'est tout ce que j'espère.

Il quitta le Roi et se rendit tout de suite au bureau du Conseiller.

— Monsieur, dit-il, je viens vous voir pour vous parler de la fête de demain.

— Oui ? dit Rembrondte. Qu'est-ce que vous avez arrangé ?

— Nous allons, comme vous en avez exprimé le désir, tripler l'ampleur des spectacles et de la première procession. Je voudrais que vous fassiez partie du groupe de tête et que vous soyez costumé en Mi-carême.

— J'en avais l'intention déjà, dit Rembrondte. Est-ce que je vais être avec le Roi ?

— Non, dit Enguerrand, le Roi lui-même sera costumé cette année et on annoncera cela à toute la population.

— C'est une bonne idée, dit Rembrondte. Comment sera-t-il ?

— Il sera... Je ne peux pas vous le dire. Il veut vous faire la surprise.

— Oh, je veux le savoir, dit le Conseiller.

— Je n'ai pas le droit de parler du déguisement du Roi, dit Enguerrand. À moins que vous ne deviniez vous-même...

— Je parie qu'il sera en chevalier avec les gentils-hommes de la Cour, dit Rembrondte. Hein ? J'ai bien deviné, j'en suis sûr.

— Oh, je n'ai pas le droit de vous le dire, dit Enguerrand avec un petit sourire, aussi je ne répondrai pas, mais vous êtes peut-être un excellent devin, Monsieur Rembrondte...

Chapitre XII

La procession du Carême

Le matin de la fête, le Roi, très excité, fit venir Smine dans ses appartements.

— Smine, dit-il, est-ce qu'Enguerrand t'a raconté que j'allais me déguiser en saltimbanque ?

— Non, dit Smine, je ne l'ai pas vu de la journée d'hier et je ne sais rien à ce sujet.

— Je vais passer toute la journée en bohémien, dit le Roi, je vais toute la journée jouer avec les comédiens de Chazel et les amis d'Enguerrand. Est-ce que tu aurais envie de venir avec moi ?

— Oui, dit le Prince, mais je ne suis pas tellement bien reçue dans le groupe d'Enguerrand par les temps qui courent.

— Écoute-moi, mon enfant, dit le Roi, tu as bien le droit de t'amuser toi aussi. Tu vas venir avec moi et nous allons leur demander de t'accepter. Ils n'oseront jamais refuser, par un jour pareil.

— Je ne veux pas les forcer à m'admettre avec eux, dit Smine. J'ai trop d'orgueil pour cela. D'ailleurs ils pourraient bien me le refuser et je ne le supporterais pas.

— Va te préparer, dit le Roi, et dépêche-toi parce que nous sommes pressés. Je t'emmène. Si ça fait des histoires, tu iras à la procession avec d'Alpenstock et tu essaieras de ne pas être trop déçue. Mais il faut les comprendre, tu leur as fait une telle peur. On ne peut pas leur en vouloir.

— Tu crois vraiment que je devrais me présenter de cette manière, dit Smine, avec mon père qui a voulu les chasser de la ville, et que nous allons devenir amis, par un beau jour de fête qui les enchante à peu près autant que moi-même ? Tu crois vraiment que ça va s'arranger aussi facilement ?

— Tut ! Tut ! dit le Roi. Va te préparer, on a une demi-heure pour aller les rejoindre.

*
* *

Quand ils arrivèrent au théâtre de Chazel, Cécil était déjà là avec ses amis et se maquillait dans un coin. Arteur se dirigea droit vers lui, tenant sa fille par la main.

— Comment allez-vous ? dit-il. Vous devez savoir que nous allons passer la journée ensemble ? J'espère que vous en êtes heureux autant que moi ?

— Autant que vous, certainement, dit Cécil en lui serrant la main. Je vois que le Prince Smine va se joindre à nous aussi ?

— Je ne voudrais pas m'imposer, dit Smine. Si vous n'avez pas envie de me voir, dites-le très sincère-ment. Je le comprendrai facilement et j'irai retrouver la Comtesse.

— Non, ça fera très bien l'affaire aujourd'hui, dit Cécil, n'est-ce pas Lyly ? Le Prince peut bien rester avec nous ?

— Mais certainement, dit Lyly très empressé. On va se faire une joie de fêter tous ensemble. Il avait pris le Prince par la taille. Oublions ce qui s'est passé et tâchons d'avoir du plaisir, c'est tout ce qui compte aujourd'hui. Alors vous allez vous habiller et vous maquiller en bohémienne ?

— Oh oui, dit Smine, j'en serais ravie.

— On va vous faire ça tout de suite, dit Lyly. Cécil, tu devrais t'occuper du Roi Arteur qui va s'impatienter. Moi, je vais faire tout en mon pouvoir pour rendre le Prince méconnaissable.

Smine ayant, derrière un paravent, endossé une robe confectionnée avec différents tissus aux couleurs bariolées, Lyly lui passa un loup qui cachait ses yeux et peignit son visage avec un maquillage spécial, de telle sorte qu'on ne vît plus un morceau de sa peau. Il appliqua sur ses lèvres un rouge foncé et lui posa sur la tête un grand chapeau pointu qui descendait dans le cou et cachait ses cheveux. Ainsi, on aurait pu la prendre pour l'une des femmes qui accompagnait la troupe, ou même pour Comédie, la mendiante du bord du fleuve.

Cécil fit la même chose avec le Roi. On l'habilla en costume de bouffon et on le grima si bien que personne ne pouvait plus le reconnaître. On les emmena ensuite faire la foire dans toutes les tavernes de la ville et on chercha à les amuser de toutes les façons possibles. Le gentil Rozie avait pris le bras du Prince et, joyeux et fêtard encore plus que d'habitude, il lui faisait la conversation, lui apprenait à gambader et à pirouetter comme un bouffon, et à jouer du tambour, et d'autres choses aussi amusantes. Cécil s'occupait de la même façon du Roi Arteur, qui s'était mis à souffler dans une petite flûte. Il était gai comme un enfant, et buvait beaucoup.

Puis tout se passa très vite. On avait convenu qu'on rencontrait Enguerrand à une heure, en tête de la procession. Lorsqu'ils arrivèrent à la porte du parc, la population de la ville s'amassait déjà à cet endroit et dans toutes les rues adjacentes. La fête du matin devait à ce moment s'arrêter subitement et les prêtres se mettre à chanter les psaumes dès qu'un coup sonnerait à l'horloge de la mairie. Le Bouffon, à midi et demi, chargea un de ses hommes de confiance d'avertir Rembrondte qu'un groupe de fêtards de la compagnie de Chazel, menés par le Sieur Cécil, avait décidé de boycotter la cérémonie et de semer le trouble. Soupçonneux comme à son habitude, le Conseiller craignit que cet incident ne vînt empêcher le déroulement normal de la mi-carême, qui en fait débutait officiellement avec la première procession. Il pensait aussi que le Bouffon lui-même avait pu arranger quelque chose afin de contrevenir à sa volonté. Il prit une cinquantaine de gardes et, au moment où la joyeuse bande de Cécil débouchait sur la place, il la fit encercler, puis il exigea qu'ils fussent tous ligotés et enfermés à la Tour. Tout ceci retarda la procession d'une dizaine de minutes peut-être, puis le Conseiller Rembrondte rejoignit le Bouffon à l'avant du cortège et se mit à chanter dignement le premier psaume avec les évêques.

Enguerrand s'arrangea pour qu'un noble de la Cour, qui avait à peu près la carrure du Roi et qui était déguisé en chevalier, se trouve à ses côtés tout au long du défilé, qui dura trois heures. De telle sorte que Rembrondte, qui jetait de temps en temps un coup d'œil vers lui, crut tout ce temps que le Bouffon était avec le Roi.

Lorsqu'il se présenta à cinq heures à la prison de la Tour, afin d'assouvir enfin, par pure méchanceté, la haine qu'il portait depuis toujours aux comédiens de Chazel, le Conseiller ne pouvait pas se douter qu'il allait se retrouver devant le Roi. Et Cécil et ses amis, qui cette fois-ci se sentaient tout joyeux d'accompagner Arteur en prison, firent en sorte qu'il soit toujours aussi méconnaissable. Rembrondte entra dans la grande cellule où on les avait parqués et s'avança vers Cécil :

— Vous, gueux sans gêne, dit-il d'un ton persifleur, si j'ai dû vous laisser partir la fois dernière sans vous rouer de coups, vous ne m'échapperez pas cette fois-ci.

— Surveillez vos paroles, Monsieur, dit le Roi Arteur en faisant un pas en avant. Il était complètement ivre et sa voix était avinée. Celui-ci est mon ami pour aujourd'hui et je suis votre Roi. Je m'étonne que vous soyez tellement sûr de vous, alors que vous venez de m'enfermer tout l'après-midi dans ma propre prison et que je vais vous disgracier, très certainement. Ce serait le moment de vous comporter plus humblement.

— Vous avez le toupet ! dit le Conseiller qui ne se contenait plus, et il envoya au visage du Roi un soufflet qui faillit le jeter à terre. Quel est le nom de ce gitan ? Je vais le faire rosser sur la place publique ! Ivrogne bâtard ! Comment osez-vous dire que vous êtes mon Roi ? Je vais vous apprendre qui vous êtes. Un chien n'est pas digne de manger dans la même écuelle que vous.

— En cela je suis forcé de reconnaître qu'il a raison, souffla Cécil à l'oreille de Lyly.

Puis il dit à haute voix :

— Quelle est la place du gueux et quelle est la place du Roi, Monsieur Rembrondte, croyez-vous que vous le savez mieux que nous ?

— Il y a une hiérarchie que vous ne devriez pas ignorer, dit Rembrondte, et que je vais me charger de vous apprendre. Si je dois respect au Roi, le reste de la ville me doit respect à moi, et vous dépendez de moi pour tout ce qui fait votre vie.

— Je n'ai jamais édicté aucune loi de cette sorte, dit le Roi Arteur. Jusqu'où croyez-vous donc que ces gens dépendent de vous ? Ils ne dépendent aucunement de vous, sinon lorsque vous devez leur demander d'organiser une comédie ou une fête. Ils ne dépendent pas de vous pour leur vie.

— Impudent ! dit le Conseiller. Je vais vous montrer tout de suite jusqu'où va votre dépendance. Gardes, emmenez cet homme et donnez-lui la bastonnade sur la place publique.

Les gardes empoignèrent Arteur qui se débattait et criait qu'il était le Roi de Varthal.

— Quant à vous, Messieurs, dit Rembrondte, je vais vous laisser tranquilles aujourd'hui, mais vous ne perdez rien pour attendre. Commencez par pourrir un peu dans ce cachot et dites-vous que vous n'en sortirez pas de sitôt. On remplace facilement un comédien à Varthal, et aussi facilement un dramaturge.

— Est-ce qu'on remplace facilement un Conseiller ? demanda Rozie.

— Vous saurez bientôt la différence, Monsieur, répondit Rembrondte à Rozie, entre un valet du Roi et un valet tout court.

— Cette différence est sans doute énorme, dit Lyly. Je ne voudrais pas qu'elle soit autrement.

Il se pencha soudain vers l'oreille du conseiller :

— Pourrais-je vous dire quelque chose à part ? Je détiens un secret qui devrait se trouver du plus haut intérêt pour vous.

— Qu'est-ce que c'est ? dit Rembrondte, méfiant, mais qui avait quand même emmené Lyly dans un coin.

— Vous avez enfermé les femmes qui nous accompagnaient dans une cellule à part, commença Lyly. Parmi elles, j'en connais une qui avait fait projet d'empoisonner le Roi la semaine prochaine. Je le sais, parce qu'on m'en a parlé. Et je sais aussi qu'elle n'est pas seule dans cette histoire. Les gens veulent protester contre la tenue de la mi-carême. Me donnerez-vous ma grâce si je vous dis qui est cette femme ?

— Empoisonner le Roi ? Une insurrection ? dit le Conseiller. Mais qui me dit que vous ne mentez pas en ce moment ?

— Vous n'avez que ma parole, Monsieur, dit Lyly.

*
* *

« Assurez-moi d'abord que vous allez me laisser sortir d'ici, demanda Lyly alors qu'il se dirigeait avec Rembrondte vers la cellule des femmes. J'ai bien connu cette femme et je ne voudrais pas la trahir pour rien. Signez-moi un papier qui me permettra de sortir d'ici. »

— Vous me dites ceci dans l'intention qu'on vous libère. Vous êtes prêt à donner un de vos amis aux bourreaux, simplement pour sortir.

— Non, dit Lyly. Je vais vous donner la preuve que ce que je dis est vrai. Cette femme a projeté d'assassiner Arteur au moment où il ira souper chez le Prince Smine jeudi prochain. Pour ce faire, elle a pénétré chez le Prince et a noté le moindre détail de son appartement. Vous comprendrez par là que je n'ai pas menti.

Le Conseiller emmena Lyly dans un petit bureau où il prit une feuille de papier et une plume. Il rédigea un bref billet qui donnait à Lyly l'autorisation de sortir de prison et le signa. Puis ils entrèrent dans la prison des femmes.

Cinq ou six comédiennes dans un coin conversaient entre elles. Le Prince Smine était assise sur un banc de bois, toute seule, et pleurait.

— C'est celle-là, dit Lyly en la désignant.

— Lyly ! dit Smine au milieu de ses larmes. Oh ! Rembrondte, je suis contente de vous voir, je veux quitter ce cachot infect immédiatement. Je suis en train de faire des cauchemars. J'ai des hallucinations et je vois des cafards sur les murs.

Au cours de la conversation qui suivit, chaque fois que Smine parlait, Lyly s'arrangeait pour faire du bruit et distraire Rembrondte afin qu'il ne reconnaisse pas la voix du Prince.

— On dit que vous avez fait des projets pour assassiner le Roi, dit Rembrondte. Vous êtes accusée de tentative de meurtre sur la personne du souverain.

— Mais il a perdu la tête ! dit Smine. Qu'est-ce que vous chantez là, Rembrondte ? Surveillez vos paroles, il pourrait vous en cuire !

— Quel culot ! dit le Conseiller, ces gens-là ne savent plus, tellement leur folie est grande, qui est qui et qu'on doit respecter les gens.

— Vous me devez le plus élémentaire respect à moi-même, dit Smine. Et je vous trouve également culotté, je dirais même terriblement culotté, d'oser m'enfermer ici et me dire que je vais assassiner mon père.

— Elle est folle, dit le Conseiller. Ça ne vaut pas la peine de discuter avec des fous. Décrivez-moi l'appartement du Prince. Il paraît que vous seriez une amie du Prince et que vous seriez déjà allée chez elle. Ce monsieur m'a raconté cela pour vous défendre des accusations qu'on porte contre vous.

— Décrivez-lui l'appartement, dit Lyly à l'oreille

de Smine. Il est un peu sonné aujourd'hui, il a trop fêté. Décrivez et il va vous laisser partir.

Smine, ébahie, s'exécuta et détailla le plus fidèlement possible la décoration de sa chambre et de sa salle à dîner. Quand elle eut terminé, le Conseiller appela un garde et demanda qu'elle soit transférée dans un cachot à part.

— Ma chère dame, lui dit-il pendant qu'on l'emmenait, je vous annonce que vous serez pendue haut et court demain matin. Garde, faites placarder cette nouvelle en ville. Quant à vous, Lyly, je suis forcé de vous rendre votre liberté. Mais sachez que je le regrette et que je vous ai à l'œil.

— Je voudrais vous demander encore une faveur, dit Lyly. Cette femme que j'ai mouchardée était ma tante. C'est ainsi que j'ai eu facilement vent du complot, elle habitait une maison voisine de la mienne. Mais j'ai des cousins qui sont mes amis et qui vont souffrir de voir leur mère ainsi déshonorée. Enfin, je voudrais que cette femme me pardonne avant de mourir. Pourrais-je venir la voir ce soir et implorer à genoux son pardon ? Je ne suis pas un mauvais homme. Je ne voulais pas que le Roi meure, cela me semblait un crime trop grand et un effet de la folie de ma tante. Mais je ne voudrais pas non plus qu'elle me haïsse et me condamne irrémédiablement. Vous comprenez, je ne veux pas qu'elle me hante après sa mort. Permettez-moi de la voir, elle m'a aimé et me pardonnera peut-être.

— Vous viendrez ce soir, dit Rembrondte avec un haussement d'épaules. J'avertirai le gardien qu'il vous laisse passer.

« Votre maquillage est un peu défait, dit Lyly lorsqu'il entra dans le cachot du Prince à neuf heures du soir. Permettez-moi de vous aider à vous refaire une beauté, étant donné que vous ne pouvez le faire vous-même. »

— Qu'est-ce qui se passe ? dit Smine qui le regardait avec terreur. Qu'est-ce qui s'est passé exactement cet après-midi ? Pourquoi disent-ils que je vais être pendue ?

— C'est la révolution, dit Lyly d'une voix légère. Votre père a reçu deux cents coups de bâton cet après-midi sur la place publique et a été chassé de la ville. Il doit, à cette heure-ci, rôder sur la route du nord en direction de Varthal. On l'avait emmené à dix lieues, en charrette, à l'heure du souper.

— Mais le Conseiller ? Il n'a pas pu laisser faire une chose pareille ?

— Le Conseiller est du bord des insurgés, chantonna Lyly. Il n'avait pas le choix, remarquez.

— Mais allez-vous vraiment me pendre ? dit le Prince qui chuchotait et paraissait plus étonnée encore que terrifiée.

— Si tel est mon bon plaisir et je crois que mon plaisir est celui-là, dit Lyly. Vous serez pendue demain, j'ai pris cette décision très vite avant de souper. Je suis venu voir si vous aviez besoin que je vous rédige une petite prière ou si vous allez le faire vous-même. J'ai moi aussi une très belle plume et j'ai toutes sortes d'idées qui me sont venues dernièrement pour les prières avant la pendaison.

— Je ne serai pas pendue, dit Smine qui se frottait

les mains compulsivement. C'est impossible, ça ne peut arriver. Vous voulez me rendre le coup que je vous ai fait l'autre jour.

Lyly s'approcha d'elle et, debout, le corps incliné vers elle et le bras appuyé au dossier du banc, il se mit à lui déclamer à l'oreille d'une voix suave et nasale, en regardant ailleurs :

— Vous souvenez-vous de ce jour où vous alliez, joyeuse et insouciante, raconter à un pauvre homme qui grelottait dans un cachot que vous le pendriez le jour même ? C'était une belle journée de soleil, une des premières journées chaudes du printemps et tout le peuple de Varthal était en ébullition. Aujourd'hui nous nous sommes révoltés contre *L'Âge de Raison* et les gens se moquent partout du Roi et de la Cour. C'est encore une belle journée ordinaire et magique, comme on en voit dans cette ville. Et maintenant vous pleurez parce qu'on vous a dit qu'on avait préparé la potence pour vous. Vous ne devriez pas pleurer. Vous étiez si gaie l'autre jour, et même plus que gaie si j'ai bonne souvenance. Songez que la ville est encore en fête et réjouissez-vous. Vous étiez tellement ravie l'autre fois.

— Vous êtes tourmenté par votre ressentiment, je ne veux pas vous parler, dit Smine.

— Vous souvenez-vous que vous vouliez nous suivre en enfer ? dit Lyly qui s'amusait et n'avait pas du tout l'intention de s'en aller. Eh bien, c'est sans doute là que vous irez tout droit. Y avez-vous pensé ? Je vais vous confier quelque chose, puisque vous m'êtes sympathique. J'ai des accointances parmi les diables, je pourrais vous écrire une petite prière à Flibbertigibbet que vous lui diriez, quand vous serez là-bas. Comme ça, il vous traitera avec les égards que vous méritez.

— Taisez-vous. Arrêtez de me tourmenter, dit Smine qui tremblait.

— Je ne répète que vos propres paroles. Vous avez dit que vous étiez en voyage pour l'enfer ? Est-ce que vous n'avez pas dit ça vous-même ?

— Je vais me mettre à hurler, dit Smine.

— Il n'y a qu'une chose à apprendre dans la vie, dit Lyly, je m'étonne que vous ne sachiez pas ça à votre âge. Il ne faut jamais se mettre à hurler. Les cris et les larmes ne donnent rien et ne peuvent que vous faire plus mal encore. Si vous hurlez, je vous pends une heure d'avance. Vous n'avez donc reçu aucune éducation ? On ne vous a pas appris à être heureuse ?

Elle était blême sous son maquillage qui fondait et serrait les lèvres pour réprimer ses larmes.

— Vous êtes... je n'ai pas de mots pour qualifier ce que vous êtes, dit-elle. Vous n'êtes rien. Qu'une brute dégénérée. Je me suis trompée monstrueusement sur votre compte.

— C'est vrai, dit Lyly qui fit mine de s'en aller.

Lorsqu'il fut près de la grille qui fermait la cellule, il se retourna subitement :

— Vous m'avez pris pour quelqu'un d'autre, dit-il.

Il sortit et referma lui-même la porte à clef. Il se promena un peu dans le corridor de cet étage de la prison, puis s'assit sur le rebord d'une fenêtre et attendit environ une heure. Le Prince devait maintenant croire qu'il était rentré chez lui. Il revint sur ses pas et rouvrit la grille de la cellule. Elle était tassée sur elle-même, les jambes recroquevillées sous elle, et paraissait complètement abattue. Lorsqu'elle l'aperçut, elle eut un petit mouvement de joie.

— Qu'est-ce qui arrive ? dit Lyly cavalièrement.

On dirait que vous êtes contente de me voir. Est-ce que vous vous ennuyez ?

— Je ne crois pas que vous allez vraiment m'assassiner, dit le Prince qui était pourtant toujours aussi sombre. Vous n'êtes pas le genre à faire pendre quelqu'un.

— Comment pouvez-vous savoir de quel genre je suis ? dit Lyly qui s'était assis par terre. Vous vous trompez encore une fois. C'est tout à l'heure que vous aviez raison, quand j'étais une brute dégénérée. Maintenant vous avez des hallucinations et vous me prenez pour quelqu'un d'autre. C'est intéressant d'observer comment les gens réagissent dans un malheur extrême, poursuivit-il d'un ton badin. Ils sont toujours très différents les uns des autres. Vous êtes en train de vous en faire pour des questions métaphysiques alors que, dans la même situation, ça ne me serait jamais venu à l'esprit. Je suis toujours au monde tant que je vis et je n'ai jamais pensé qu'à vous insulter. Vous, vous vous croyez déjà de l'autre côté, dans un monde intemporel, et vous n'êtes même pas sûre que j'existe encore. Vous me parlez déjà comme si j'étais un fantôme.

— Vous êtes venu ici pour faire des observations scientifiques ? dit le Prince. Que c'est dérisoire !

— C'est bien ce que je dis. Vous ne vous intéressez déjà plus à personne et vous n'avez aucune réaction, dit Lyly. Réellement je pourrais dire n'importe quoi, vous n'écoutez pas vraiment. Vous constatez que tout cela est dérisoire et ça ne vous touche pas. Moi, je serais fou de rage. Vous n'aimez pas assez la vie quand vous la vivez. Maintenant qu'on vous dit que vous allez être pendue, vous êtes déjà morte, vous vous empressez de mourir.

Il lui prit la main.

— Mais vous ne serez pas pendue, évidemment. Il n'y a pas d'insurrection et votre père a été arrêté par le Conseiller qui le prenait pour un comédien. Tout va rentrer dans l'ordre dès ce soir et vous allez retourner chez vous. Je viens vous ouvrir la porte.

— Je le savais, dit-elle alors que son visage s'illuminait pourtant d'une joie intense et que toute sa personne avait changé d'un coup. J'étais sûre que ça n'était pas possible.

— Moi, je pense que vous avez réellement cru qu'on vous pendrait, dit Lyly. Vous étiez en danger. Et je vous le dis, on dirait que vous avez été pendue il y a longtemps déjà, on dirait qu'il y a longtemps qu'on a commencé à vous pendre et que quelque chose du ressort vital est cassé. C'est triste.

— Laissez-moi sortir, dit le Prince durement. Je n'ai pas besoin que vous vous penchiez sur mon cas aujourd'hui et que vous vous attristiez sur mon sort comme vous le faites si gentiment. Je suis capable de vivre ma vie toute seule. Maintenant que vous avez eu votre vengeance, faites-moi le plaisir de me laisser tranquille et de m'ouvrir cette porte, que je rentre enfin souper chez moi.

Il lui tendit les clefs sans dire un mot et elle ouvrit elle-même la grille de sa cellule.

— Je ne vous poursuivrai pas, dit-elle avant de s'en aller.

Elle marcha jusqu'au bout du corridor et, avant de prendre l'escalier, revint sur ses pas.

— Comptez-vous chanceux de faire du théâtre à Varthal, dit-elle à Lyly qui était resté dans la cellule. Les gens de votre espèce finissent en général comme piliers de tavernes à l'endroit même où ils ont pris ce qu'ils appellent leur « génie » et leur appétit de vivre.

— Je n'aime pas l'alcool, Madame, dit Lyly avec un grand sourire. Ça me donne mal à l'estomac.

*

* *

Le Roi Arteur, après avoir reçu ses deux cents coups de bâton sur la place publique, avait été emmené, à moitié évanoui, dans une petite charrette tirée par un cheval jusqu'à une banlieue éloignée. On l'avait ensuite jeté au bord de la route et laissé là, fou de rage comme on s'en doute. Il ne prit pas le temps de se reposer et de panser quelque part son dos endolori et reprit à pied la route du nord, qui entrait dans la ville à une dizaine de lieues de l'endroit où il se trouvait. Il marcha ainsi d'un pas rapide sans discontinuer et sans regarder personne jusqu'au parc qui abritait son palais. Il prit un bain, s'habilla proprement, puis s'en fut trouver son Conseiller qui était en train de prendre son souper.

— Monsieur, dit-il en entrant, vous êtes satisfait de votre journée ?

— Majesté, dit Rembrondte en se levant, je vous ai vu cet après-midi avec le Bouffon et j'ai fait semblant de ne pas vous reconnaître. Je savais bien que c'était vous.

— Vous avez fait semblant de ne pas me reconnaître, dit Arteur en se dandinant, visiblement choqué. Vous voulez dire qu'il vous arrivera dorénavant de ne pas me reconnaître et de me faire donner la bastonnade sur la place publique ? C'est un nouveau caprice ?

Rembrondte, interdit, regarda le Roi et comprit en un instant. Arteur était tellement enragé qu'il n'arrivait plus à exprimer cette fureur et paraissait calme et froid.

— Vous voulez dire… la bastonnade ? dit le Conseiller.

— Vous m'avez fait donner la bastonnade cet après-midi, dit le Roi. Je suppose que cela devait faire partie des cérémonies de *L'Âge de Raison* ?

— Ce n'est pas moi, dit le Conseiller à toute vitesse. Ce n'est pas moi. Je vous ai pris pour quelqu'un d'autre. Je vous ai pris pour un comédien, un de ces gueux, ce n'est pas de ma faute. Si j'avais su, je ne l'aurais pas fait.

— J'espère bien. Et où sont ces gueux maintenant ?

— Ils sont toujours en prison, dit Rembrondte. On m'avait dit qu'ils voulaient empêcher la procession.

— Vous allez rester ici, dit le Roi, pendant que je vais donner des ordres pour les faire libérer. Vous êtes ruiné. Je garde tout ce que vous avez en paiement de l'argent que vous devez maintenant au trésor de la Couronne. En effet, vous devez cet argent en amende, sinon je vous fais écarteler. Vous allez quitter ce soir même la ville de Varthal dans une charrette que je vous ferai préparer et vous en aller en Italie. Si je devais jamais réentendre parler de vous dans ce pays, je vous jure que je ne donne pas cher de votre peau. Attendez ici qu'un garde vienne vous chercher.

Il partit, froid et raide, sans avoir haussé le ton. Il lui semblait que sa colère était si grande qu'il ne pouvait en dire plus en ce moment sans commettre une bêtise irrémédiable, comme par exemple de tordre le cou à cet imbécile ou de le condamner à une peine plus grande que ne le méritait son forfait. Comme il allait sortir de sa maison avec ses gardes pour aller lui-même libérer les prisonniers à la Tour, il rencontra le Prince qui en revenait.

— Smine, dit-il en courant vers elle, j'espère qu'ils ne t'ont pas fait mal.

— Ça va très bien, dit Smine en l'écartant d'elle. Laisse-moi tranquille, j'ai besoin d'aller me reposer.

Sa voix était coupante et dure et elle regardait droit devant elle en continuant d'avancer dans la rue. Le Roi eut soudain très peur et il lui prit les épaules.

— Smine, ma petite fille, dit-il, on dirait que ça ne va pas bien ?

— Je n'ai rien, dit-elle en se dégageant. Je veux rentrer. Je vais appeler Enguerrand et lui demander de venir me trouver. Ne t'en fais pas pour moi.

— Elle a été condamnée à mort, dit un des gardes. Je le sais par un gardien de la Tour. Il y a eu une méprise.

— Est-ce que c'est vrai, ce qu'il dit ? demanda le Roi qui ne voulait pas la laisser partir. Est-ce que c'est vrai que tu avais été condamnée à mort ?

Elle se dégagea sans répondre et rentra au palais en courant.

— Elle est traumatisée, dit le garde. C'est certainement une expérience traumatisante.

— Est-ce que tu crois qu'elle va se remettre assez vite ? demanda le Roi. Je n'aime pas la voir dans cet état, ça me donne des sueurs froides. Est-ce que tu penses qu'elle est capable de faire une folie ?

— Elle est simplement traumatisée, dit le garde. Ça ne durera pas.

*
* *

« Tu trouves ça drôle, peut-être ? » dit Smine en entrant dans son appartement.

— Dis ce que tu veux, répondit Enguerrand. Tu peux faire n'importe quoi, je comprends que tu peux me mettre à la porte, me faire chasser de la ville à coups de pieds dans le cul, fais-le si ça te chante, mais je ne regrette pas ce que j'ai fait et rien ne m'enlèvera le plaisir que j'ai eu et que j'ai encore.

— Polisson !

— Absolument, absolument polisson ! dit Enguerrand. La dernière fois, il y avait eu une fête parce que tu avais mis tout le monde dans le pétrin, maintenant il y en a une autre parce que c'est toi qu'on a mise dans le pétrin. Ça me paraît juste. Tu disais toi-même que la révolution justifiait un acte comme celui-ci. Je le pense aussi.

— Je n'oublierai jamais ce que vous m'avez fait, dit-elle, jamais. Je vais t'en garder rancune toute ma vie. Tu ne seras jamais plus le même pour moi, je ne pourrai pas l'oublier.

— Je peux m'en aller maintenant, dit Enguerrand, et ne plus jamais remettre les pieds ici.

— Oui, fais-le, dit Smine. Fais-le en vitesse.

— Mais tu aurais changé d'idée demain, dit Enguerrand. Alors je fais aussi bien de rester.

Trois coups furent frappés à la porte et la Comtesse entra.

— Oh ! j'étais tellement inquiète ! dit-elle en courant vers le Prince, les bras tendus. J'ai passé l'après-midi à me morfondre. J'avais peur que vous ne preniez cette plaisanterie très mal.

Smine éclata en sanglots et courut se coucher sur son lit.

— Ils m'ont fait croire que j'allais être pendue, cria-t-elle au milieu de ses larmes.

— Pleure un peu, mon petit chou, ça va te faire du bien, dit la Comtesse en s'assoyant au bord du lit. Donc Lyly t'a fait croire que tu serais condamnée à mort ? C'est affreux. Je savais que tu irais en prison, mais je n'aurais jamais pensé qu'il allait être assez méchant pour te faire une peur pareille.

— Il s'est vengé, dit Enguerrand. Il n'a pas pu y résister.

— C'est un homme cruel, dit la Comtesse. On s'arrangera pour ne plus le rencontrer.

— Il n'a pas fait cela par cruauté, dit Enguerrand. Ou il faudrait que Smine soit cruelle aussi. Je crois qu'il pensait que ce serait une bonne blague. Il voulait te mettre dans cette situation et t'observer. Il a dû être attiré irrésistiblement par cette idée et n'a pu s'en empêcher. Il doit en être encore content à l'heure qu'il est.

— Quelle crapule ! dit Smine qui séchait ses larmes progressivement.

— Mais toi-même ? dit la Comtesse. Est-ce que tu n'as pas été un peu crapule toi-même ?

Chapitre XIV

Écrivez de la philosophie !

Après cette première procession, qui avait été tellement ratée, il n'était plus question de prolonger la fête de *L'Âge de Raison*. On fit dire encore une grand-messe par l'évêque, puis on laissa les gens en paix. Le Roi Arteur nomma un successeur à Rembrondte, un gars qui s'appelait Vermuur, et qui semblait avoir meilleur caractère que le Conseiller précédent. Cécil monta une autre pièce qui eut un grand succès, et sa renommée s'en trouva encore grandie à Varthal. Les anciens vagabonds s'entendaient de mieux en mieux avec le Bouffon Enguerrand, qu'ils voyaient souvent, mais ne rencontraient plus ni le Prince ni la Comtesse d'Alpenstock. Smine s'était rapidement remise de son traumatisme, mais elle avait gardé une rancœur terrible envers Lyly et se promettait une revanche. Quant au Roi Arteur, il avait comme d'habitude oublié rapidement ses griefs, et se trouvait content d'avoir une bonne troupe de théâtre à Varthal. Aussi soignait-il les auteurs en les invitant à son château quand le Prince était sortie et en s'arrangeant pour qu'ils soient respectés à la Cour.

Un soir pourtant, à la mi-avril, alors qu'il était dans cette petite chambre de l'auberge qu'on a déjà visitée, un valet vint porter un message à Cécil, de la part de la Comtesse d'Alpenstock. Elle désirait s'entretenir avec lui dans l'après-midi du lendemain et lui demandait d'arriver chez elle à une heure et demie, pour un goûter. Il n'avait pas vu la Comtesse depuis un mois et savait, pour en avoir entendu parler autour de lui, qu'il était brouillé avec elle. Il se rendit pourtant à son invitation.

Elle le fit attendre une demi-heure dans son salon, puis arriva les bras chargés de paquets.

— J'ai été retenue en ville, dit-elle. J'espère que vous ne m'avez pas attendue trop longtemps ?

— Non, dit Cécil en se levant, il me semble que je viens à peine d'arriver. J'ai pris un livre en attendant.

— Je vais nous faire apporter du thé et des pâtisseries, dit la Comtesse en se débarrassant de ses paquets sur un des divans.

Elle s'approcha de Cécil et lui serra la main.

— Je suis contente de vous parler. Il y a longtemps qu'on ne s'est vus. Assoyez-vous.

Elle alla s'asseoir sur une chaise située à une quinzaine de pieds de lui, puis le regarda en silence. Cécil était très calme et avait décidé qu'il attendrait qu'elle parle. Il n'était pas venu parce qu'il désirait la voir, c'était elle-même qui avait demandé qu'il vienne et il n'avait pas l'intention de lui faire des avances ou quoi que ce soit de ce genre.

— Eh bien, dit-elle, est-ce que vous avez perdu votre langue ?

— Je vous demande pardon ? dit Cécil.

— Parlez plus fort, je ne comprends pas ce que vous dites.

— Je veux bien parler plus fort, dit Cécil, mais je ne comprends pas pourquoi vous allez vous asseoir à l'autre bout de la pièce. Si vous vous assoyez plus près, vous allez comprendre beaucoup plus facilement.

La Comtesse vint s'asseoir à côté de lui.

— C'est vrai, dit-elle. C'est ridicule. Ce n'est pas nécessaire de m'asseoir si loin, je suppose que vous n'allez pas me manger ?

— Je suis surpris que vous m'ayez fait venir, dit Cécil qui voulait en venir tout de suite au cœur du sujet. Il paraît que vous dites de moi des choses horribles partout en ville, alors…

— Moi, je dis des choses horribles ? dit la Comtesse. Ce n'est pas vrai. Je n'ai rien dit du tout. Je n'ai pas dit un mot de vous à quiconque en ville depuis des semaines, sinon peut-être au Prince, et ça n'avait rien de malveillant. Qui est-ce qui vous a dit cela ?

— Je ne sais pas vraiment, dit Cécil. Des tas de gens, il me semble.

— Non, c'est le Prince qui est fâchée, dit la Comtesse. Pas moi. Moi, je suis assez indifférente. Mais vous comprendrez que je ne désire plus vous voir aussi souvent. Vous n'avez plus grand-chose à me raconter sur l'Italie. Par ailleurs je suis occupée par mes études, qui prennent tout mon temps. Vous-même, je crois que vous étudiez un peu ? On m'a raconté que vous connaissiez toutes les théories actuelles sur le maniérisme. Il a fallu que vous preniez ça quelque part.

— Oh, j'étudie… dit Cécil. Nous étudions… c'est un bien grand mot.

— En fait, vous étudiez, dit la Comtesse. C'est le seul mot qui convienne. Vous étudiez autant que moi en ce moment.

— Si vous voulez, dit Cécil qui s'était mis à regarder nonchalamment par la fenêtre. Si vous voulez absolument que je dise que j'étudie.

— Je pourrais vous prêter des livres, si vous le

désirez, dit la Comtesse. J'en ai une pleine bibliothèque. Qu'est-ce que vous faites pour vous procurer des livres ?

— J'ai un ami avonien qui est libraire à Varthal, on a dû vous le dire. Je prends les livres chez lui.

— Je mets quand même ma bibliothèque à votre disposition, dit la Comtesse. J'ai des livres qui sont rares et chers et que vous ne trouverez pas ailleurs.

— Je vais les prendre, dit Cécil froidement. Je viendrai un de ces jours voir ce que vous avez.

— Vous pouvez en prendre aujourd'hui, si ça vous tente, dit la Comtesse. Nous verrons ça tout à l'heure. Mais pour l'instant je voudrais que nous conversions tranquillement en mangeant des pâtisseries.

— Madame, dit Cécil, j'ai été surpris que vous m'ayez appelé. Je veux être franc, je sais que le Prince Smine me déteste et a juré de se venger de Lyly. De plus, tout le monde connaît votre amitié avec le Prince. Je dois donc vous confier que je suis assez méfiant et que j'ai du mal à croire que vous m'avez invité uniquement pour me faire manger des pâtisseries.

— Je ne vous ai pas vu depuis un mois, dit la Comtesse. Je pourrais avoir envie de vous parler, tout simplement. Je pourrais m'ennuyer de vous et considérer que j'ai suffisamment obligé le Prince en cessant de vous fréquenter pendant cette longue période. Est-ce que cela vous paraît plausible ? Considérez que je manque la compagnie du meilleur dramaturge de Varthal pour ce qui n'est plus qu'un caprice du Prince.

— C'est plausible, dit Cécil distraitement.

— Qu'est-ce qui vous distrait ? À quoi pensez-vous en ce moment ?

— Je pensais… à rien de particulier, répondit Cécil. Je suis distrait de nature.

— Vous n'aimez pas me parler ? dit la Comtesse. Ou peut-être essayez-vous seulement de m'en donner l'impression ? Peut-être êtes-vous en train de m'expliquer de cette façon que je vous intéresse très peu et que c'est une corvée pour vous de venir ici ?

— Je pensais à mes amis, dit Cécil. Au travail que j'ai à faire. Je pensais à Lyly, qui corrige mon texte actuellement dans ma chambre.

— Et vous n'avez pas envie de manger des pâtisseries, dit la Comtesse froidement. Bon. Alors suivez-moi dans ma bibliothèque, je vous donne les livres tout de suite et vous irez travailler, puisque vous êtes tellement vaillant.

Elle l'emmena à sa suite au troisième étage de sa maison, dans une immense pièce poussiéreuse qui devait se trouver juste en face de la grande horloge, pensa Cécil au juger. Le parquet, formé de planches de bois qu'on n'avait jamais peintes, était sale et couvert par endroits de bran de scie. La pièce était éclairée par de grandes fenêtres à carreaux qui couvraient tout un pan de mur. Les livres se trouvaient sur les trois autres murs, jusqu'au plafond qui était très haut. Il n'y avait aucun rayonnage ailleurs dans cette pièce, ni meubles non plus, ce qui en faisait une drôle de salle déserte, une sorte de local vide et pourtant imprégné de l'odeur des livres et de la mémoire des lieux où la vie a été intense.

— Comment allez-vous choisir ? dit la Comtesse en montrant du bras les étagères. Est-ce que vous avez des préférences ? Qu'est-ce que vous désirez lire en ce moment ?

— Choisissez pour moi, dit Cécil.

— Pourquoi ? demanda la Comtesse. Je pourrais choisir des livres qui ne vous plairaient pas et vous décourager ainsi de revenir fouiller dans ma bibliothèque. Ce serait plus facile si vous regardiez vous-même.

Cécil s'avança vers la première étagère à sa portée et prit un livre au bord. C'était un gros volume pourri, dont les feuilles s'effritaient quand on essayait de les tourner.

— Celui-là est un peu trop vieux, dit-elle. Il faut le manipuler avec beaucoup de soin, cherchez-en un qui soit plus récent.

Il prit un autre livre au hasard. Il était en latin. Il en lut quelques phrases.

— Que pensez-vous de celui-ci ? dit-il.

— Est-ce que vous n'allez pas vous en fatiguer vite ? dit la Comtesse.

— C'est vrai, dit-il. Je vais m'en fatiguer trop vite.

Il en prit un autre, changeant de rayon. C'était un livre avec des illustrations à chaque page.

— Je le lisais quand j'étais petite, dit la Comtesse. C'était un livre qui me plaisait beaucoup. Mais je crois que je n'aurais plus tellement de plaisir à le relire maintenant.

Un autre.

— C'est Enguerrand qui m'a donné celui-là, il y a déjà longtemps, dit la Comtesse.

— Je l'ai déjà lu, dit-il.

Encore un autre. C'était l'histoire d'un chevalier qui était parti en croisade.

— Celui-là m'intéresse, dit-il.

— Voyons voir, dit la Comtesse en prenant le gros livre et en s'assoyant par terre au milieu du bran de scie. Vous aimez ça, les histoires de croisades ?

— Ah oui, dit Cécil qui était allé s'adosser à la vitre de la grande fenêtre et avait vérifié qu'ils étaient bien en face de la grande horloge. Oui, et je n'ai pas souvent l'occasion d'en lire.

— C'est un gros livre, est-ce que vous n'allez pas vous en fatiguer de celui-là ? Est-ce que vous lisez des livres aussi longs jusqu'au bout ?

— Ça me plaît quand ils sont longs, dit Cécil. Il se leva et regarda la Comtesse, les bras ballants. Je vais partir, dit-il après un moment.

— Peut-être que vous pourriez venir me voir régulièrement pour que je vous prête mes livres ? dit-elle. Vous pourriez venir fouiller encore dans ma bibliothèque ?

Il répondit « peut-être » en marmonnant et prit congé de la Comtesse. Il rencontra le Prince Smine dans l'escalier.

— Bonjour, Monsieur, dit-elle, l'air très affable, on ne vous a pas vu depuis longtemps. Est-ce que vous êtes toujours à Varthal ?

— Je suis content de vous voir, Madame, dit Cécil, poli. Et je suis toujours à Varthal. Vous n'êtes pas venue voir ma pièce ?

— Non, dit le Prince, je ne suis pas allée au théâtre ces derniers temps. Vous venez voir la Comtesse ?

— Je la laisse à l'instant, répondit Cécil. Elle est dans sa bibliothèque.

Elle réfléchit une minute puis reprit :

— Venez avec moi au salon. Je verrai d'Alpenstock tout à l'heure. Venez avec moi, nous allons jaser un peu. Est-ce que vous vous êtes ennuyé de moi ?

— Je n'ai pas tellement envie d'aller converser avec vous au salon de la Comtesse. Je sais que vous ne m'aimez pas. Je vais m'en aller.

— Mais voyons... dit-elle d'une voix doucereuse en lui prenant le bras pour le retenir, voyons, vous savez que je vous ai toujours aimé énormément. Nous devrions oublier cette histoire et discuter un peu.

— Je vous suis, dit Cécil, mais je ne vais pas rester longtemps.

Lorsqu'ils furent au salon, elle s'étendit de tout son long sur un divan, alors qu'il demeurait, interdit, sur le pas de la porte.

— Mais entrez, dit-elle, venez vous asseoir à côté de moi.

Il approcha un fauteuil du divan.

— Je n'aime pas ça, dit-il soudainement. Je voudrais m'en aller. Je sais que vous êtes furieuse et que vous voudriez me voir mort. Je préférerais qu'on en reste là et qu'on ne se voie plus. Vous continuerez de ruminer votre colère, et moi, je ferai mon travail sans craindre une traîtrise de votre part. Je sais que vous avez décidé de vous venger, on me l'a dit partout. Vengez-vous, Madame, si vous le désirez, mais au moins faites-le sans hypocrisie.

— Vous vous trompez, dit-elle. Je n'ai pas réellement pensé à une vengeance. Je l'ai peut-être dit et j'en ai eu envie, mais je ne serais pas capable de faire des plans conséquents pour vous attraper quelque part, cela, je ne le pourrais pas.

— Vous le dites et je l'entends, mais je ne suis pas obligé de le croire, j'espère ?

— Vous avez un succès fou avec votre nouvelle pièce, dit-elle pour détourner la conversation. Les gens sont magnétisés et se répètent des morceaux de vos dialogues à longueur de journée. Comment faites-vous ?

— Je leur dis ce qu'ils veulent entendre, dit Cécil. Il n'y a que la Comtesse qui s'intéresse à l'Italie. Je parle aux gens de ce qu'ils aiment, je n'ai pas besoin de me forcer pour ça.

— Vous n'avez pas besoin de vous forcer pour ça ?

— Non, c'est naturel, dit Cécil. Je pourrais aussi bien écrire cela pour Lyly ou Rozie seulement. Ou pour mon propre plaisir. Je l'ai déjà fait, ça m'arrive de le faire encore, de faire du théâtre pour mon seul plaisir ou celui d'un ami.

— C'est dans vos mœurs, dit le Prince.

— Exactement. C'est dans nos mœurs. Je ne suis pas le seul, si vous saviez comme j'en ai connus, des bouffons de toutes sortes que je rencontrais dans des campagnes lointaines, toutes sortes de nigauds qui savaient faire des choses encore bien plus étonnantes que les miennes. Vous n'avez aucune idée de ce que c'est que la vie de saltimbanque et de ce qu'on y voit. Croyez-vous que ce sont vos séminaristes, vos moines du prieuré qui ont inventé le théâtre ? Ce sont des copistes. Ils n'y comprennent rien, ils ne savent pas ce qu'ils font. Prenez le gros Lyly, s'il le voulait, il pourrait faire un théâtre aussi bon que le mien sans se forcer, c'est aussi naturel pour lui que de parler.

— Moi, si j'essayais, croyez-vous que je pourrais ?

— Vous feriez mieux d'écrire des livres de philosophie, dit Cécil. Il me semble que vous n'auriez pas assez de mémoire pour écrire du théâtre. Ça prend trop de mémoire.

— Je devrais peut-être me mettre à écrire des livres de philosophie, dit Smine.

— Vous devriez.

— Mais si j'essayais quand même de monter une pièce à Varthal ? Ce serait facile, je n'ai qu'à demander la permission à Arteur.

— Faites-le, pour voir, dit Cécil. Ils vont vous applaudir, c'est sûr, moi j'applaudirais. Vous allez faire un théâtre importé par les moines italiens, calqué sur l'idée que vous vous en faites depuis que vous êtes née avec les pauvres pièces qu'on vous a jouées à la Cour, vous ferez du grand théâtre, on plaquera là-dessus le mot « Art » et j'applaudirai moi-même. Seulement croyez-vous que les citoyens de Varthal vont avoir des crises maniaques après vous avoir vu jouer ? Pensez-vous que vous arriverez à les toucher ? Vous ferez, ma chère, un théâtre en carton qu'il sera seyant d'avoir dans sa bibliothèque en petits in-folios ou in-quartos bien illustrés, et soignez votre biographie, c'est elle qui intéressera vos lecteurs lorsque vous serez morte.

— Vous êtes trop dur, dit Smine. Je saurais sûrement faire autre chose.

— Faites autre chose, dit Cécil. Écrivez de la philosophie, ça fait de l'histoire. Écrivez de la philosophie et soignez votre biographie, un jour on dira que c'est vous qui avez écrit mes pièces.

— Vous ne tenez pas à ce qu'elles soient signées de votre propre nom ? dit Smine. Vous n'allez pas vous-même écrire votre biographie afin qu'elle passe à la postérité avec votre histoire ?

— Pourquoi donc ?

— Les auteurs de théâtre le font, je crois. En général, on les trouve dans la bibliothèque d'Alpenstock et plus tard, dans trois siècles, vous serez peut-être vous aussi dans la bibliothèque d'une autre petite Comtesse d'Alpenstock. Vous devriez écrire votre biographie pour ce moment-là, sinon cette nouvelle comtesse ne saura pas ce que vous avez été ni comment vous avez vécu.

— Il faudra qu'elle devine, dit Cécil. Ce sera beaucoup plus drôle ainsi. Mais faites-le pour moi, si vous croyez que c'est utile. Écrivez ma biographie, ça vous tiendra occupée.

— Les saltimbanques ! dit le Prince qui était sur le point de se fâcher. Vous êtes tous malades et dégénérés, vous ne savez pas ce que vous faites, vous n'y mettez aucune structure, vous n'avez aucun plan et si on aime quelque chose de vous, c'est presque par hasard, en passant. Vous ne faites que du vent, vous n'allez nulle part et vous n'avez aucune idée de ce que vous faites.

— Mais je le fais quand même, dit Cécil. Heureusement. Il faut bien que ce soit fait.

— Vous croyez que vous êtes drôle ? Si on ne vous avait pas permis de monter votre théâtre à Varthal, vous auriez fini à 35 ans sous les ponts, suicidé ou poignardé par un bandit de votre espèce. Ou bien après une beuverie plus particulièrement dure. Je le disais l'autre jour à votre ami Lyly.

— Qu'est-ce que vous disiez à mon ami Lyly ?

— Je lui disais que les gens comme lui sont malades fondamentalement et qu'il n'avait pas à se vanter et à être fier de sa vigueur, qu'il était au fond tout à fait décrépit et taré. C'est l'époque qui a enfanté des gens tels que vous, avec vos bouffonneries innées, vous êtes issus des pestes que vos parents ont connues, des famines et des fléaux de toutes sortes, vous en êtes les rejetons mongols. Si vous avez quitté vos campagnes et que vous êtes maintenant à Varthal, ce n'est pas que vous le désiriez vraiment, c'est parce qu'on vous en a chassés, ils ne supportaient pas de vous voir, ils auraient voulu que vous n'existiez pas. Alors vous vous êtes réunis en bandes et vous avez fait vos folies sur les routes du pays et vous êtes ainsi parvenus jusqu'à Varthal où vous essayez de vous installer. Moi, je ne dis rien, ni Enguerrand, nous n'avons rien dit, nous avons laissé faire, mais ne pensez pas que vous êtes en bonne santé et que c'est pour cette raison que vous faites du bon théâtre. Vous le faites parce que vous êtes malade. Et Dieu sait jusqu'où pouvait aller cette maladie si vous aviez dû continuer comme vous étiez parti.

— Je ne prétends pas à la santé, dit Cécil. Je n'ai jamais parlé là-dessus. Qu'est-ce que c'est que cette obsession ? Je n'ai jamais dit que j'étais en meilleure santé que vous.

— Non, mais vous le pensez. Vous croyez que je suis décadente, vous l'avez dit. Quelqu'un me l'a répété.

— J'ai dit que vous étiez oisive, dit Cécil. Et que cela pouvait vous rendre malheureuse.

— Parce que c'est vous qui êtes décadent, dit le Prince. Vous ne vous en apercevez pas, mais vous êtes tout à fait décadent. Vous avez quelque chose d'un monstre. Et c'est peut-être, mieux que tout le reste, ce qui explique votre succès dans ma ville, auprès du peuple. Ils font des monstres, ils le savent, ou bien s'en doutent, mais ils ne les voient jamais. Maintenant ils vous ont en pleine face, ils entendent vos discours de monstres, qui sont leurs propres discours tels qu'ils ne peuvent les dire eux-mêmes. Et ils sont scandalisés. Mais ils sont contents, ils ont de l'action, ils n'ont jamais vu ça.

— Vous vous égarez, dit Cécil. Je vous le dis, c'est vous qui êtes obsédée par cette affaire de monstres. Vous devriez chercher le monstre qu'il y a chez vous.

— Vous êtes la terreur, parce que vous êtes leur cauchemar qui a pris forme. Ils avaient précisément peur d'enfanter des gens tels que vous. D'abord, qu'est-ce qui va vous arriver ? Croyez-vous vraiment que vous allez rester ici, que vous avez un tempérament de sédentaire et que vous allez finir vos jours dans la quiétude et la sérénité ? Que non ! Vous allez mourir à quarante ans, je vous le répète, alcoolique jusqu'à l'os. C'est certain. Ou bien épileptique, ou fou furieux. Vous êtes tombés en plein au mauvais moment, en plein dans le trou noir de l'époque, vous et vos amis.

— Ça paraît noir, en effet. Je n'avais jamais envisagé les choses de cette façon.

— Je vous le dis. Ou bien, frappé de démence, vous irez mendier sous les ponts avec les sorcières. Nous vous avons donné la seule chance que vous aviez de rester bien portant, vous devriez nous remercier.

— Mais je vous remercie infiniment, je ne vous remercierai jamais assez. Seulement, je ne comprends pas très bien pourquoi vous me dites toutes ces choses. Ça fait peut-être partie des plans que vous avez faits pour vous venger ? Seulement, je ne vois pas comment vous allez y arriver ainsi.

Il se leva soudainement.

— Vous êtes trop pessimiste, continua-t-il. Les chocs que vous avez eus dernièrement vous ont déprimée. Voyez plutôt comme Varthal est une ville gaie. Vous ne devriez pas chercher des poux et des monstres là où il n'y a que des enfants qui s'amusent et font la fête, et confondre une explosion de joie avec une explosion de peste.

Il la quitta sur cette dernière réplique et elle demeura toute seule au salon pendant une heure, réfléchissant à la conversation qu'elle venait d'avoir, jusqu'à ce que d'Alpenstock, descendant de la bibliothèque, vienne la rejoindre.

— J'ai une idée, dit-elle en apercevant la Comtesse. Je viens de laisser le Sieur Cécil et cet imbécile m'a donné une idée, je crois, une idée qui me permettrait d'obtenir ma revanche.

— Ah, tu as vu Cécil ? dit la Comtesse un peu mal à l'aise. Je l'avais fait venir, je dois te l'avouer, parce que je commençais à m'ennuyer d'eux.

— Ne t'en fais pas, dit Smine. Tu as bien agi et j'étais très heureuse de le rencontrer moi-même. Il pense qu'il est le seul à pouvoir amuser les gens et que, si je me mettais en frais d'écrire, ça ne donnerait que du toc, des petites histoires savantasses à mettre dans une bibliothèque. Il dit que je ne saurais faire que des copies et que je n'ai aucune idée de l'art qui vienne de moi.

— C'est bête et ridicule, dit la Comtesse. Et navrant.

— Mais ceci me donne une idée. Écoute-moi. Crois-tu que si je montrais mes chansons aux citoyens de la ville, crois-tu que je n'obtiendrais pas un succès égal à n'importe quel bon trouvère ?

— Eh bien… oui, il me semble… mais j'ai peur que… tu vois ce que je veux dire, les gens te connaissent et tu ne ressembles pas tellement à un trouvère, je m'excuse de te le faire remarquer. Tu vois bien, Cécil, il était convaincu que tu ne savais pas écrire. C'est la même chose pour le peuple ou pour un public éventuel. Quand ils te verront te mettre à réciter des vers, j'ai bien l'impression qu'ils vont rire et croire que c'est une de tes nouvelles lubies. Et ils ne t'écouteront pas avec la bienveillance qu'ils auraient pour un véritable trouvère.

— Eh bien, je vais me déguiser, dit Smine. Les déguisements sont à la mode ces temps-ci et m'ont déjà occasionné tellement d'ennuis, tant mieux s'ils peuvent me servir maintenant. Je vais me déguiser en trouvère nouvellement arrivée de Partenthal, et je vais essayer d'accaparer le public de Cécil et des autres. Si j'y arrive, on pourra dire que j'ai gagné et nous verrons si je suis toujours alors ce prince décadent qu'ils croient si bien connaître. Est-ce que tu vas m'aider, d'Alpenstock ? Il nous faut…

Chapitre XV

Trouvère en langue d'oïl

Lorsqu'en ce matin de juin une grande femme aux longs cheveux blonds, en costume de ménestrel, une viole sous le bras, lorsque cette femme se présenta à la librairie d'Urh, qui appartenait à un ami avonien de Cécil, nul ne pouvait voir qu'il s'agissait en fait du Prince, pas même la Comtesse si elle l'avait rencontrée à ce moment-là.

Le libraire était dans sa boutique, assis à un petit bureau au fond de la pièce, en train de lire.

— Bonjour, mon bon Monsieur, dit-elle en entrant, avec un fort accent des Pays-Bas. J'espère que je ne vous dérange pas. J'aurais une faveur à vous demander. J'arrive de Partenthal à l'instant, j'ai fait toute la route à pied, depuis trois jours que je suis partie et, n'ayant pas un sou en poche, je me demandais si vous ne pourriez m'aider et me conseiller un endroit où dormir au plus tôt.

— Vous avez fait toute cette route à pied, Madame ? dit le libraire qui s'appelait Simon. Toute seule ?

— Oh, je sais me défendre, dit Smine en montrant les pistolets qu'elle avait à la taille, et j'ai des bonnes jambes. Je suis trouvère des Pays-Bas et je voyage dans le pays de Farthag, que je n'ai jamais visité. On m'a dit de venir à Varthal où il paraît que la vie est facile et qu'il y a du travail.

Le libraire ne se surprit pas outre mesure parce qu'il était relativement fréquent de voir des femmes ménestrels sur les routes. Elles accompagnaient en général les bandes de comédiens, et on pouvait les voir aussi, comme celle-ci, seules, errant d'un château à l'autre, dans les pays plus au sud. Il y en avait qui se faisaient de grandes réputations et qui étaient recherchées à cause de leurs sonnets.

— Donc vous venez des Pays-Bas, dit le libraire qui était content d'avoir de la visite et de se distraire un peu avec un personnage aussi singulier. Assoyez-vous. Est-ce que vous avez fait cette route à pied depuis les Pays-Bas ?

— Oui, dit Smine. J'aime marcher et je m'arrête partout. J'ai quitté les Pays-Bas il y a deux ans et j'ai visité à peu près tous les châteaux le long du fleuve et sur la côte. J'ai passé l'hiver à Styrrog chez le duc et la duchesse. Mais ce bourg est trop petit et j'avais envie de voir la grosse ville de Varthal.

— Qu'est-ce que vous faites comme chansons ? demanda le libraire.

— Je chante en langue d'oïl, dit Smine. Je m'appelle Barberousse, je suis connue dans les Pays-Bas.

— Si vous chantez en langue d'oïl, dit le libraire, ça va plaire ici parce qu'on ne voit pas souvent des chanteurs en langue d'oïl.

— C'est ce qu'on m'a dit. Mais pour en revenir à ce qui m'intéresse... Connaîtriez-vous des gens qui accepteraient de me loger pour cette nuit ? Je suis harassée et je n'ai pas l'intention de gagner quelques sous en chantant aujourd'hui.

— Bien sûr, dit le libraire. Je vais y réfléchir et on trouvera bien quelqu'un. Mais pourquoi êtes-vous venue me voir ?

— À l'entrée de la ville, j'ai demandé à un marchand de m'indiquer l'endroit où vont les comédiens ambulants lorsqu'ils arrivent, et on m'a donné votre adresse.

— Oh, il existe des marchands qui donnent mon adresse maintenant ? dit le libraire. On aura tout vu. En fait, ils le font parce que j'ai reçu des amis qui sont dramaturges dans cette ville, et qui furent comédiens ambulants. Et, ma bonne dame, où espérez-vous que je vous loge ? J'ai des amis qui sont des immigrants des Pays-Bas, désirez-vous aller chez eux ? Ils seraient sûrement contents de vous rencontrer.

— Eh bien… oui, évidemment… je pourrais aller chez eux, dit Smine. Je serais heureuse de rencontrer des compatriotes. Mais il vaudrait peut-être mieux que je me familiarise tout de suite avec les gens du pays. Ne pourrais-je aller chez ces comédiens que vous connaissez ?

— Oh, c'est embarrassant, dit le libraire. Ils sont très occupés maintenant, depuis qu'ils font ce théâtre…

— Mais vous savez, je suis une très bonne trouvère, dit Smine. On n'en voit pas souvent comme moi.

— Je n'en doute pas, dit le libraire. Mais… Bon, je vais vous dire ce que vous allez faire. Rendez-vous chez Vergruben d'abord. C'est mon ami hollandais. Là, vous êtes sûre que vous aurez de la place et que vous allez trouver quelqu'un à la maison. Lorsque vous vous serez reposée, vous irez ensuite à l'auberge du Cheval-qui-rit où sont mes amis du théâtre et vous leur parlerez, puisque ça vous intéresse tellement. Ils seront enchantés de jaser un peu avec vous, mais je ne suis pas sûr qu'ils peuvent vous héberger, voilà la vérité. Allez d'abord chez Vergruben, c'est beaucoup mieux pour vous.

— Bon, dit Smine, je vais faire ce que vous me dites, puisque ces comédiens sont tellement difficiles à rencontrer. Mais, s'il vous plaît, avertissez-les que je suis venue vous voir et dites-leur que Barberousse passera chez eux demain. Pouvez-vous faire ça pour moi ?

Le libraire assura Smine qu'il verrait ses amis et l'introduirait ainsi auprès d'eux, puis elle le quitta pour se rendre chez le Hollandais.

*
* *

Le Hollandais habitait, à quelques rues de là, une maison coquette dans les rues commerçantes. Entre deux boutiques aux enseignes agressives, un petit jardin fleuri longeait une allée qui menait à la maisonnette d'un seul étage, construite en grosses pierres des champs et ornée d'une cheminée qui fumait. Le Prince poussa la chevillette et la bobinette cherra. Une jeune fille en costume des Pays-Bas vint lui ouvrir. Après l'obscurité de la rue, la lumière douce qui émanait de la vieille demeure parut tout à fait hospitalière et confortable à Smine.

— Qu'est-ce que vous voulez, Madame ? dit la jeune fille. Mes parents sont sortis et je suis toute seule à la maison. Qu'est-ce que je peux faire pour vous ?

— Je viens de la part du libraire Simon, dit Smine. Je m'appelle Barberousse et je suis trouvère en langue d'oïl. Il m'a envoyée chez vous quand je lui ai expliqué que je cherchais un endroit où passer la nuit.

— Oh, vous êtes des Pays-Bas ? dit la jeune fille. Mais entrez donc. Que je suis heureuse de voir quelqu'un des Pays-Bas ! Mes parents vont être enchantés. De quelle région êtes-vous, Barberousse ?

— Je suis de Pendam, dit Smine.

— Oh, je connais beaucoup de monde à Pendam. J'ai un paquet d'amis de Pendam, dit la jeune fille. Nous avons vécu là-bas cinq ans. Comme ça, vous êtes une cerise ? Vous savez, c'est ainsi qu'on appelle les gens de Pendam, parce qu'on raconte que les cerises y sont si grosses qu'on doit les ramasser à la pelle.

— Eh oui ! dit Smine.

— C'est Barberousse comment, que vous vous appelez ?

— Euh, Barberousse Ouragan, dit Smine.

— Ah, les Ouragan de Pendam, je les connais aussi, dit la jeune fille qui s'appelait Arielle. Est-ce que vous êtes parente de près ou de loin avec Boucane Ouragan ?

— C'est un vague cousin de ma grand-mère, dit Smine.

— Est-ce que vous connaissez Arthur Tremblay ?

— C'est un de mes vieux amis, dit Smine.

— Je suis parente avec Arthur Tremblay du deux au trois, dit Arielle. Ça va vous situer. Mais vous, vous n'êtes pas parente avec Arthur, quand même ?

— Quand même pas, dit Smine.

— Connaissez-vous les cousins Tremblay d'Arthur, du bord de sa mère ? Il y en a un qui est à Varthal.

— Oh, j'ai le regret de vous dire que je ne le connais pas du tout, dit Smine.

— Quel est le nom de votre grand-père ? demanda la jeune fille. Comme ça, on va pouvoir se faire une idée.

— Eh bien…

— Quel est le nom de votre grand-mère du bord de votre mère ? Est-ce que vous connaissez Michel Simard ?

— Ah, j'ai été à l'école avec, dit Smine.

— Eh bien, Michel Simard est à Varthal, dit Arielle qui était toute contente d'annoncer cette nouvelle à Smine.

— Mon doux, que c'est plaisant, dit Smine qui s'inquiétait d'avoir à rencontrer ce Michel Simard.

— Vous savez, on retourne à Pendam régulièrement, dit Arielle. Je suppose que vous allez avoir envie de voir Michel Simard tous les jours, hein ? Vous avez dû vous ennuyer. Moi, je n'en ferais pas moins. On vous emmènera chez lui demain. Maintenant, on va s'asseoir et on va parler des événements de septembre de Pendam il y a vingt ans. Et puis quand mes parents vont arriver, on reparlera des événements de septembre de Pendam. Qu'on va passer une belle soirée, à brasser les grands moments historiques de notre nation !

Le soir, les gens des Pays-Bas, quand ils n'avaient rien à faire, se comptaient. Ils étaient 8750 selon eux, avec toutes les guerres et les invasions, et ils étaient tellement inquiets depuis quelque temps qu'ils se comptaient et recomptaient tous les soirs, du moins ceux qui n'étaient pas occupés à travailler. Mais il y avait réellement des fonctionnaires qui servaient uniquement au dénombrement de la population. Ils connaissaient tout le monde, ils avaient, à les entendre, parlé à chacun des 8750.

— Vous comprenez, dit la jeune fille, je suis tellement anxieuse. Je les ai tous comptés. Je n'en dors plus la nuit, avec tous ces calculs de familles.

— Pourtant, ça devrait être le contraire, dit Smine. On dit que lorsqu'on compte les moutons…

Elles passèrent la soirée à deviser ainsi sur les généalogies des habitants des Pays-Bas, puis Smine put enfin aller se coucher.

Le lendemain de bonne heure, ayant évité de justesse un rendez-vous qu'on essayait de lui arranger avec ce Michel Simard de Pendam, elle se présenta à la porte de l'auberge du Cheval-qui-rit et demanda à parler à Cécil. Il était encore au lit et elle dut attendre dans la salle où se tenaient les buveurs. Lorsqu'il apparut enfin dans l'escalier, elle était en train de se demander ce qu'elle allait trouver à lui raconter. Son plan était simple : il s'agissait de séduire Cécil et ses amis avec ses sonnets et de l'ennuyer ensuite autant que le commanderait son désir de vengeance. Elle ne doutait pas vraiment de la beauté de son art, mais, en voyant descendre le dramaturge, en ce matin où elle se trouvait privée de sa véritable identité, elle se sentait tout à coup faible et sans moyens.

Il s'avança vers elle, légèrement surpris, et lui tendit la main.

— On m'a dit que vous vouliez me parler ?

— Oui, vous avez dû voir votre ami, le libraire Simon ?

— Il est venu hier soir, dit Cécil. Vous êtes des Pays-Bas ? Vous avez fait un long voyage.

— C'est cela, des Pays-Bas, dit Smine. Mais j'ai chanté aussi dans plusieurs autres pays.

— Ici nous faisons du théâtre, dit Cécil. Nous avons des clowns et des funambules dans la compagnie, mais aucun trouvère.

— Il y a sans doute des trouvères qui sont passés par Varthal avant moi, dit Smine. Vous avez dû en voir à la Cour ?

— Il y a eu des chanteurs de Farthag, j'en ai vus, dit Cécil, mais personne qui chante en langue d'oïl.

— Vous-même n'êtes pas ici depuis longtemps, dit

Smine. Comment avez-vous fait pour faire connaître vos pièces ? Est-ce qu'il y a un superviseur des fêtes ?

— Oui, c'est le Bouffon Enguerrand, dit Cécil. Mais il ne veut voir personne. C'est très difficile de se faire introduire auprès de lui. Il ne veut pas être dérangé.

La porte d'entrée s'ouvrit pour livrer passage à Lyly, qui n'avait pas encore dormi et rentrait d'une virée en ville. Il s'écrasa dans un fauteuil en face de Smine et posa lourdement ses bottes sur la table.

— On a de la visite ? dit-il en jetant un regard interrogateur à Cécil.

— Madame est trouvère en langue d'oïl, dit Cécil. Elle arrive de Styrrog à pied.

— De Styrrog à pied ! dit Lyly en examinant le Prince des pieds à la tête. Je vous prenais pour le professeur de musique d'Enguerrand.

— Ne vous fâchez pas, dit Cécil gentiment. Mon ami Lyly est extrêmement mal élevé, surtout après une nuit de beuveries. Et vous ne ressemblez pas tellement aux trouvères que nous avons l'habitude de rencontrer.

— C'est ainsi que sont les trouvères dans le sud, dit Smine rapidement. Nous sommes très choyées, vous savez. Et sur la route de Varthal, j'allais toujours dans les duchés, j'ai eu une route facile.

— C'est ainsi que sont les trouvères du sud ? siffla Lyly. J'ai vu des trouvères du sud aussi bien que des trouvères de l'ouest ou du nord-est et ils se ressemblent tous. Qui est-ce qui a pu vous « choyer » à ce point-là ? Est-ce que tu as déjà rencontré des « choyés » trouvères, mon cher Cécil ?

— J'ai passé l'hiver chez le duc de Styrrog, dit Smine. Mais je suis un cas singulier. Je suis l'un des trouvères les plus connus des Pays-Bas, je chantais pour le Roi.

— Qu'est-ce qu'elle nous veut ? demanda Lyly en se retournant d'un air dégoûté vers Cécil.

— Je voudrais faire partie de la troupe, dit Smine.

— Je lui ai conseillé d'aller voir le Bouffon, dit Cécil.

Smine, qui comprenait qu'elle risquait d'avoir des problèmes, se leva et annonça d'une voix forte aux quelques occupants du bar qu'elle allait donner un petit spectacle. Puis elle se mit immédiatement à chanter ces sonnets bizarres qu'elle avait composés dans son enfance. Elle connaissait la langue d'oïl pour l'avoir étudiée très jeune et faisait des variations sur des mots de cette langue qui lui plaisait à cause de ses sonorités rauques. L'effet général était assez amusant et baroque.

— Ça suppose une nouvelle façon d'écouter, dit Smine en se rassoyant, très sûre de son effet. C'est la nouvelle méthode contemporaine d'écouter qui est requise ici. Vous devez vous laisser imprégner par le texte et en dégager le sens selon une nouvelle approche logique.

— Eh bien ! dit Lyly avec un petit sifflement. Est-ce que c'est eupheuiste ? Si en plus c'est eupheuiste, vous allez tomber en plein dans le goût du jour.

— Allez voir Enguerrand, dit Cécil, et dites-lui que je veux vous avoir avec moi. Dites-lui que je vous recommande tout particulièrement, sinon il ne voudra pas vous embaucher.

— Cela vous plaît donc beaucoup ? demanda Smine. Je suis contente si mes chansons vous plaisent, vous ne pouvez savoir le plaisir que ça me fait.

— En fait, c'est parce qu'il est gentil, dit Lyly. Il se fiche bien de vos chansons. On en a entendues, des chansons, dans toutes les langues. Fais-lui un petit billet qu'elle remettra d'abord à sa cuisinière parce que tu connais ce cher Enguerrand, il pourrait bien refuser de la voir, il est enfermé à clef chez lui.

*
* *

« Une minute, dit Enguerrand, nous n'avons jamais eu de chansonniers dans la troupe. Ce n'est pas parce que vous avez, Madame, une lettre de recommandation d'un de mes amis que je devrais tout à coup faire cet énorme passe-droit pour vous. Vous me dites que vous avez chanté dans toutes les Cours sur la côte, je veux bien croire que c'est extraordinaire de découvrir par ici un trouvère en oïl, mais je dois vous déclarer que vous ne m'impressionnez pas tellement avec vos histoires de Cours. Je ne sais pas ce que vous faites, chère Barberousse, mais j'ai une vague idée de ce qu'est l'art, et je ne crois pas qu'on le trouve plus particulièrement à la Cour. Ni que le duc et la duchesse de Styrrog, que j'estime par ailleurs, soient nécessairement de grands critiques d'art. Vous ne réussirez pas à me convaincre en me disant que vous avez chanté dans les Cours. Je ne suis pas le genre de Bouffon qu'on séduit avec ça. »

— Je ne disais pas cela dans l'intention de vous séduire, dit Smine qui s'amusait à rencontrer son cher Enguerrand dans cette pittoresque situation. Je ne voulais pas acheter mon droit de chanter au théâtre lorsque je vous ai parlé du duc de Styrrog. Mais c'est un état de fait, tout simplement. Je vous parle de l'expérience que j'ai, de quoi d'autre voulez-vous que je vous parle ? Je vous dis ce que j'ai fait.

— Et pourquoi n'avez-vous rien fait d'autre que de chanter dans les Cours ? demanda Enguerrand. Est-ce que vous n'êtes capable que de chanter dans les Cours ? Vous êtes un trouvère de Cour ? Vous croyez que vous allez chanter pour le Prince Smine, est-ce là votre ambition ? Nous n'aimons pas ce genre d'artistes, ajouta-t-il avec une moue de mépris, nous n'en voulons pas à Varthal. Je vous vois, Madame, je vous le dis aussi sincèrement que je le pense, je vous vois avec votre accent des Pays-Bas et je trouve que vous avez de curieuses manières pour un trouvère nomade qui a fait toute la côte à pied. Vous avez dû vous arrêter longtemps dans les châteaux le long de votre route et on a dû vous soigner et vous dorloter, chez toutes ces duchesses que vous avez visitées. Est-ce que cela fait un bon poète ? Comment pouvez-vous me prouver que vous savez même ce que c'est que la poésie ? Peut-être ne le savez-vous pas, avec votre politesse, votre correction, vos manières bienséantes ?

— Vous savez, Monsieur, dit Smine, la bienséance et la correction ne sont pas que l'affaire de la Cour.

— Je n'en doute pas, dit le Bouffon. La bienséance devrait être l'affaire de tout le monde, je suis d'accord avec vous.

— Je vous trouve bien dur, ajouta Smine. Alors que vos amis sont prêts à m'accepter dans leur troupe.

— Si on les laissait faire, dit Enguerrand, avec leur grand cœur, je ne sais pas ce que deviendraient le théâtre et le monde du spectacle. Mais moi, je supervise et je suis asocial, ce qui est une grande qualité pour un superviseur. Je n'ai pas cette humeur bon enfant de l'artiste qui aime qu'on l'entoure, quitte à se retrouver ensuite floué et exploité comme un poulet qu'on déplume. Et les choses, tant que je suis ici, vont marcher comme je l'entends. Vous êtes ménestrel ? Prouvez-le. Vous croyez qu'il suffit qu'on vous range dans une bibliothèque pour qu'on dise que vous agissez efficacement sur une société ? Moi, je n'en crois rien et dans ce cas vous devriez quitter Varthal, où vous n'aurez pas le succès que vous attendez. Si vous pensez réellement que la poésie est autre chose, alors réalisez-la.

« Enguerrand est franchement de mauvais poil, ce matin, pensa le Prince ainsi haranguée, ou bien il prend son rôle plus au sérieux que je ne croyais. » Elle était au fond ravie que son bien-aimé Bouffon se montre si rigoureux à son égard, ce dont elle n'avait pas l'habitude, et se sentait remplie de gratitude et d'admiration.

— Mais qu'est-ce que je dois faire, Monsieur, pour vous prouver que je ne suis pas un simple poète de Cour ? Moi, je ne demande pas mieux que de vous le démontrer, c'est même mon plus cher désir, mais comment voulez-vous que j'y parvienne si vous me refusez toute possibilité de chanter ?

— Nous en avons eus des trouvères, dit Enguerrand, nous en avons déjà vus, vous n'êtes pas la première, même si vous avez cette nouveauté de chanter en langue d'oïl. Il y en eut de très grands, dont les poèmes sont conservés ici-même dans les archives et dont le nom éblouit encore le peuple de Varthal. Savez-vous ce qu'ils faisaient en arrivant ici ? Pensez-vous qu'ils rendaient visite au Bouffon ou au Prince ? Non, ils allaient directement sous le pont de Varthal, là où s'entassent les mendiants, les sorcières et tous les gueux, et c'est là qu'on leur donnait leur véritable nom. Ils allaient chanter les chroniques magiques, les grands faits de l'histoire et les récits des alchimistes à ceux qui voulaient les entendre et pouvaient les comprendre. Puis on entendait parler d'eux, par cette rumeur qui montait des quartiers misérables. Si vous étiez capable d'enchanter les sages-femmes et les bohémiens qui vivent sous le pont, alors vous seriez trouvère. Sinon vous usurpez ce titre et je ne veux pas vous entendre. Allez voir si vous êtes reçue dans ce quartier maudit où je ne passe pas moi-même sans être accompagné d'une dizaine de gardes. Ce sera votre carte de visite si vous vous représentez jamais devant moi.

— Vous êtes un peu méchant, dit Smine. C'est difficile de séduire ces mendiants.

— Cela n'a rien de difficile, dit le Bouffon. Moi, je ne le peux pas, mais je ne dis pas que je suis un troubadour nomade, que je suis une légende venue des Pays-Bas. À votre place, je m'en irais à Styrrog où vous avez été si bien accueillie.

*

*   *

« Eh bien, je suis renvoyée, pensait Smine qui trouvait que cette aventure lui ménageait d'agréables surprises. C'est bien la meilleure chose qui puisse m'arriver et je n'en remercierai jamais assez ce cher Enguerrand. Il s'inquiète de ses écrivains au grand cœur et affiche une mine sévère sous prétexte qu'il doit s'occuper des fêtes, mais en fait tout cela n'est qu'une justification et une façon de déguiser sa propre compassion envers Cécil. En fait, qui suis-je ? C'est vrai que la Cour a marqué mes manières et il s'en est bien aperçu, en dépit de mes efforts pour les déguiser. »

Elle était arrivée, au milieu de ses songeries, dans le quartier du pont et se mit à se promener le long de ces petites rues sales en jouant de la viole et en chantant très fort. Elle n'avait pas vraiment réfléchi à ce qu'elle ferait, elle commença par chanter des ballades des Pays-Bas qu'on lui avait apprises dans son enfance, puis lorsque les portes des maisons s'entrebâillèrent et que ces êtres étranges qu'étaient les mendiants, hirsutes et déformés, lorsque ces gens et leurs enfants se mirent à la suivre sur les vieilles rues en terre, elle décida d'improviser, un peu enivrée de se retrouver ainsi dans un environnement si étrange. Et au fur et à mesure qu'elle chantait ces phrases qui lui paraissaient dictées par un ange ou un bon génie, à mesure qu'elle racontait ces histoires folles qui lui venaient tout à coup à l'esprit, elle avait l'impression de s'enfoncer le long de la rue, non pas de sa propre ville, mais d'un pays nouveau où elle devenait réellement ménestrel et où ses comportements habituels n'avaient plus droit de cité. Elle se dandinait en marchant et bientôt, au milieu de la rue, elle avait l'air d'un pantin actionné du ciel, disloqué et sautillant de-ci de-là avec des petits coups de tête absurdes pendant qu'elle produisait les sons étranges et rauques de la langue d'oïl, qui résonnaient dans tout le quartier comme une horloge au mécanisme fou.

« Oyez, oyez, chantait-elle, c'est facile, Hortense qui a été frappée sur la place publique au temps du Roi Charles et qui a pris de force la moitié de la ville, et Béatrice dont on raconte qu'elle vit encore sous les ponts, et Hugh le vieux comique, le sorcier de l'est, et Mississipi Free qui chantait il y a trente ans dans la rue de la Mémoire, c'est facile de retrouver, sur l'autre face des cartes faussées, le véritable prix du jeu et quels sont les mensonges dans les yeux morts sous les poèmes ensevelis, la vérité lisse et pastel sous les vies ensevelies, oh quelle est la valeur de cette marchandise et le voleur, et quelle est la couleur sur le trottoir de ce morceau de pain… »

Et ainsi de suite. Il y eut un garde qui passait, de la cavalerie du Roi. Il dit : « Cette musique n'a aucun sens, c'est une chanson stupide. » Mais dans les yeux des gueux on lisait la terreur et l'homme fut chassé à coups de pierres.

Quand elle eut chanté assez pour se retrouver à moitié évanouie, Smine s'assit sur le trottoir, les pieds dans une flaque d'eau. Une petite assemblée s'était arrêtée à une vingtaine de pieds d'elle. Une jeune femme s'approcha :

— Si tu restes comme ça, les pieds dans l'eau, dit-elle doucement, tu vas attraper un rhume.

— Je veux me mouiller, dit Smine qui avait reconnu Comédie.

— Tu viens d'arriver ?

— Oui, je viens d'arriver à Varthal.

— Tu vas dormir chez moi, dit Comédie. J'ai de la place pour deux. Il faut que tu viennes chez moi ce soir.

Elle souleva Smine en la prenant sous les bras et la traîna jusqu'à sa petite maison. Les gens, après les avoir suivies quelques minutes, rentrèrent finalement dans leurs maisons. Comédie étendit Smine sur son vieux matelas crasseux et s'assit à côté d'elle. Après lui avoir demandé d'où elle venait et ce qu'elle avait fait avant d'arriver à Varthal, elle lui expliqua qu'on allait faire une enquête sur elle.

— Vous pensez que je viens pour vous espionner ? dit Smine qui reprenait peu à peu ses esprits.

— Non, ce n'est pas ça, dit Comédie. Ils vont fouiller dans les archives et les chroniques, les vieilles chroniques et les récentes, pour voir si tu as été annoncée quelque part. Est-ce que tu crois que tu as été annoncée ? Si tu le penses ou si tu le sais, tu ferais mieux de le dire, ça nous ferait gagner du temps.

— Si j'ai été annoncée ? dit Smine qui essayait de s'adapter à cet étrange discours. Non, ça m'étonnerait beaucoup que j'aie été annoncée. Mais tu trouveras peut-être quelque chose, quand même. J'ai fait un gros effort.

— Et, dis-moi, est-ce que tu as vu des présages avant de venir ici, sur la route ? J'ai besoin de savoir ça aussi. Tu comprends, il faut délimiter exactement ton territoire originel, il faut savoir d'où tu viens. On a besoin de l'abscisse et de l'ordonnée.

— Eh bien… des présages… sur la route j'ai vu une poubelle d'où s'échappait un gros chat. C'est la première chose que j'ai vu en partant.

— C'était un chat de gouttière ? dit Comédie. Un gros chat gris ? Au poil très long ? Je le connais, si c'est celui-là.

— Non, dit Smine, un chat tigré, trop gros, l'air d'un lynx.

— Tu as vu celui-là, dit Comédie ébahie. Mon doux ! Il t'est arrivé quelque chose.

Elle se mit à marcher en long et en large dans sa cabane en se frottant les épaules.

— Est-ce que c'est grave ? demanda Smine.

— Ça dépend, ça dépend. Je vais aller voir la sage-femme, c'est elle qui va nous expliquer. Est-ce que tu as vu d'autres présages ?

— Qu'est-ce que j'ai vu après ça ? dit Smine qui réfléchissait. J'ai vu un Père Noël électrocuté sur une clôture en passant près de Berthier l'été dernier.

— Réellement électrocuté ? demanda Comédie.

— Je n'ai pas vérifié, dit Smine. Il m'a semblé qu'il était électrocuté, mais je ne me suis pas approchée pour vérifier.

— Et ensuite ?

— Ensuite… j'ai vu un homme qui se tenait la tête à deux mains et gémissait. Ça, c'était sur la côte. Puis il y en a eu encore un autre… j'allais prendre le bateau… j'ai rencontré un ermite au port et il m'a emmenée voir un musée des sciences. Dans ce musée, il y avait un appareil étrange, et il m'a expliqué qu'il s'agissait d'une invention récente de la technique, mais qu'il ne pouvait m'en dire plus. C'est tout ce que j'ai vu, je crois.

— C'est déjà beaucoup, dit Comédie qui était très excitée. Je m'en vais tout de suite voir la sage-femme. Toi, couche-toi parce que tu as besoin de repos. Je reviendrai pendant la nuit. Mais surtout ne va pas te sauver. Tu aurais toutes sortes d'ennuis ensuite. Il a été convenu que tu devais dormir chez moi.

Smine, épuisée, s'endormit aussitôt que la jeune mendiante l'eut quittée. Comédie, quant à elle, habitée d'une sorte de frénésie, courait à travers la ville pour aller chez la vieille sage-femme.

*
* *

« Qu'est-ce qui t'amène encore ? » dit Béatrice en ouvrant la porte.

— Écoute-moi, Béatrice, dit Comédie essoufflée, je suis désolée de venir si tard, mais j'ai une mission urgente. Est-ce que tu dormais ?

— Je ne dors pas souvent, tu le sais, dit la vieille.

— Tu as entendu parler du ménestrel qui vient d'arriver ?

— Oui.

— Eh bien ?

— Eh bien quoi ?

— Hugh m'a demandé de l'interroger. Est-ce que c'est toi qui l'as chargé de me confier cette tâche ?

— Non, la décision a été prise en commun. Je ne fais plus grand-chose, voyons, toute seule, je suis tellement fatiguée.

— Qu'est-ce qui va arriver ? dit Comédie. Est-ce qu'il va y avoir un malheur ?

— Pourquoi un malheur ? demanda la vieille Béatrice qui était retournée se coucher dans son lit et avait invité Comédie à s'asseoir à côté d'elle. Pourquoi devrait-il toujours y avoir des malheurs ? Tu as bien l'esprit tragique. Il n'y a pas de raison spéciale qu'il arrive un malheur.

— Mais qu'est-ce qu'elle vient faire ici ?

— On ne sait pas, dit la vieille. Comment veux-tu qu'on le sache déjà. Tu ne m'as pas encore dit ce qu'elle avait vu.

— Elle a rencontré le chat tigré, dit Comédie. Moi, ça me donne la chair de poule.

— Le chat, dit la vieille posément. Il y en a d'autres qui ont vu ce chat-là. Moi, j'en ai connus dans mon règne.

— Eh bien, moi, c'est la première fois, dit Comédie. Et je t'assure que ça me terrorise. Qu'est-ce qui va arriver à cette fille ? J'aime autant ne pas l'imaginer.

— Oh ! il peut lui advenir des tas de bonnes choses, dit la vieille. Ça n'est pas une catastrophe de rencontrer le chat. Moi, à mon âge, j'aimerais assez qu'il vienne me voir. Cette rencontre serait sûrement comique.

— Arrête-toi, dit Comédie. Essaie de parler moins fort et arrête de te moquer, tu pourrais aussi bien le faire apparaître.

— Oh ! le faire apparaître… il n'y a que les jeunes

filles qui ont peur du chat. Moi-même, je le craignais dans ma jeunesse, mais maintenant… Tu verras, dans quatre ou cinq ans déjà, tu riras de ce que tu me dis maintenant.

— Mississipi Free a peur du chat, dit Comédie.

— Mais non, mais non. Elle fait semblant. Elle veut te garder jeune plus longtemps. Elle voudrait que tu demeures tout le temps sa petite enfant. Tu lui en parleras, dis-lui que Béatrice trouve qu'elle agit mal envers toi et qu'elle doit te laisser vieillir. Mississipi Free est un véritable bandit, elle ne fait que des bêtises. Et qu'est-ce qu'elle a vu, en plus, la trouvère des Pays-Bas ?

— Elle a vu le Père Noël, puis Émile, l'homme qui pleure, puis un appareil qu'on vient d'inventer. Je te les donne en ordre.

— Ah ! ça veut dire qu'ils ont finalement réussi à inventer ça, dit Béatrice qui parlait pour elle-même. Je suis bien contente, c'est une bonne nouvelle. Alors, ma pauvre Comédie, tu as bien rempli ta mission et je te remercie. Tu peux rentrer chez toi et retrouver ton poète. Il ne lui arrivera rien de bien grave, va, tu n'as pas besoin de t'en faire.

— Et ici, qu'est-ce qui va se passer ?

— Comment veux-tu que je le sache ? dit Béatrice qui s'était levée et la poussait vers la porte. Comment veux-tu que je le sache dès maintenant ? Il faut que je fasse l'analyse, d'abord.

Comédie rentra chez elle et se coucha à côté de Smine. Dans le quartier, la nuit semblait calme et les lampadaires, qu'on allumait pour le soir, s'éteignirent un à un lorsqu'on approcha de minuit. Seuls deux ou trois enfants oubliés se promenaient dans les ruelles, jouant à quelque jeu bizarre que nous ne comprendrons jamais. Pourtant, longeant les maisons, il y avait bien aussi, dans cette rue sans passant, cette rue endormie et sans lumière, il y avait bien cette vieille ombre recourbée, cette vieille femme qui s'appelait Béatrice et qui avançait difficilement le long des hangars calcinés en prenant garde qu'on ne la voie pas. Et même les enfants qui étaient restés éveillés et qui jouaient dans le terrain vague, même les enfants ne l'aperçurent pas lorsqu'elle passa devant eux, en montant la rue.

Elle traversa le grand pont de Varthal, toujours aussi invisible, et lorsqu'elle fut sur la rive gauche, elle entra dans un grand bâtiment qui avait l'air, avec ses fenêtres condamnées, d'une usine désaffectée. Après avoir monté un escalier, elle vit une lumière qui filtrait d'une porte donnant sur le corridor dans lequel elle se trouvait. Elle frappa cinq coups à la porte et Madame Duncan Hines vint lui ouvrir.

C'était une grande pièce au plafond haut, éclairée par des lustres. Elle avait dû servir autrefois de salle de classe parce qu'elle était encore meublée d'une vingtaine de petits pupitres bas, avec leurs chaises, et sur le mur opposé à la porte on voyait deux grands tableaux noirs. Madame Duncan Hines retourna s'asseoir au grand bureau qui avait dû être celui du professeur et Béatrice s'installa à l'un des petits pupitres, sur la première rangée.

— Comment allez-vous, Béatrice ? demanda Madame Duncan Hines. Est-ce que vous êtes contente de me voir ?

— Oh oui, dit la vieille qui avait l'air très émue. Oh ! Madame, il y a si longtemps.

— Est-ce que vous travaillez toujours aussi bien ? dit Madame Duncan Hines.

— Je l'espère, dit Béatrice. J'espère que vous seriez contente de moi, je fais mon possible. Mais je suis un peu empêchée par l'âge, vous devez comprendre ça.

— Qu'est-ce que vous avez étudié dernièrement ? Pouvez-vous me faire un compte rendu de lecture ?

— Je lis Shakespeare, Madame, dit Béatrice.

— Je me doutais bien que vous liriez Shakespeare un jour, dit Madame Duncan Hines.

— Mais je ne suis pas venue ici pour vous parler de Shakespeare, dit la vieille sage-femme. Je n'ai malheureusement pas le temps de vous faire un compte rendu de Shakespeare ce soir. Je suis venue vous voir à cause de ce ménestrel qui vient d'arriver.

— Vous savez qui c'est ? dit Madame Duncan Hines avec un sourire moqueur dans son visage ridé.

— Je crois que c'est le Prince, dit la sage-femme en hésitant.

— Oui, c'est la Princesse Smine, dit Madame Duncan Hines. Elle veut imiter Shakespeare. Croyez-vous qu'elle va réussir, Béatrice ?

— Elle va réussir à s'amuser, dit Béatrice. Mais elle ne pourra pas concurrencer Cécil de Spenntel-Hoguel, ça non, même si nous l'aidons. Qu'est-ce que nous devons faire ?

— C'est une bien jeune personne, dit l'institutrice. Aidez-la à s'amuser, je vous en prie.

Elle s'était levée et avait pris une craie au tableau. Au cours de l'échange qui suivit, elle dessinait distraitement au tableau noir des petits schémas formés de signes cabalistiques.

— Quant à nous, dit-elle, je vous avouerai que nous ne nous intéressons pas tellement au Prince Smine, ni à personne à la Cour d'Arteur. Mais cette fois-ci la fille du Roi a eu vraiment une bonne idée, on peut lui accorder cela. Voilà ce que nous désirons : gardez-la avec vous le plus longtemps possible, afin qu'elle voie ce que vous

vivez. Et donnez-lui du travail dans les spectacles clan-
destins du quartier. Bien sûr, elle n'a pas besoin d'en
apprendre davantage. Mais il faut l'occuper et la faire
chanter, et la promener. Voilà ce que je voudrais que vous
fassiez.

— Est-ce que je dois prévenir les autres ? dit
Béatrice.

— Vous savez, vous faites comme vous voulez, dit
Madame Duncan Hines. Prévenir Comédie... Moi, je
crois que vous pouvez lui laisser ce nom de Barberousse
pour Comédie et les autres.

— Ça sera plus drôle pour la petite fille, dit la sage-
femme.

— C'est ça.

— Et supposez, dit Béatrice, qu'on entende parler
d'elle à la Cour et au théâtre ? Que ferons-nous alors ?

— Entourez-la bien, qu'elle ne soit pas seule, c'est
important. Qu'elle joue avec Hugh et Mississipi et les
mimes de sous le pont. Ils ne les prendront sûrement pas
tous ensemble dans leur troupe parce qu'ils détestent trop
les gueux. Ils vont hésiter. Essayez de sauver du temps.

*
* *

La première semaine de Smine sous les ponts fut pour elle
un véritable enchantement. Elle s'habituait à vivre chez
Comédie, dont elle s'était fait une amie, et s'amusait
formidablement avec sa nouvelle identité. On était au
mois de mai, il faisait un chaud soleil, et elle se promenait
par les rues de son nouveau territoire, portant des guenilles sales qu'elle déchirait elle-même, tellement elle
désirait se faire accepter dans le milieu des mendiants. Il

y avait eu une sorte de conciliabule entre les sorciers jeunes et vieux, et finalement on avait décidé qu'on lui dresserait un petit chapiteau à la base du pont, là où se trouvaient les grosses colonnes qui formaient la structure de pierre du pont de Varthal. Tous les après-midi, elle allait chanter ses ballades avec les gueux sous le chapiteau. Les enfants, surtout, avaient l'air d'apprécier ses chansons en langue d'oïl et les répétaient ensuite tout au long du jour, en jouant dans les fonds de cour. Sa réputation grandit ainsi au cours du mois de mai, et déborda enfin le quartier du pont. Au début de l'été, certains commerçants de la rue du marché avaient déjà entendu parler du ménestrel, et la rumeur en parvint aussi aux oreilles d'Enguerrand.

— Elle a réussi à se faire accepter des mendiants, dit-il à Cécil, un jour qu'ils mangeaient ensemble dans un restaurant de la rue des Deux Lanternes. Je dois confesser que cela m'étonne.

— C'est étonnant, en effet, répondit Cécil. Et je me demande comment elle a fait son compte. Mais vous devez convenir qu'elle n'était pas si pimbêche qu'elle en avait l'air et que j'avais raison de vouloir la prendre dans mon théâtre. Vous savez, c'est très difficile de séduire le peuple des mendiants. Je ne m'y serais pas essayé. On raconte des choses terribles à leur sujet. Ça prend un courage inouï pour s'aventurer sur un territoire comme celui-là, il n'y a pas un de mes comédiens qui voudrait s'impliquer avec eux. Il faut une communauté d'esprit.

— Je suppose qu'ils ne doivent pas être particulièrement doux, dit Enguerrand, si on n'arrive pas à leur plaire. Ils doivent le laisser sentir assez brutalement. J'en ai vu quelques-uns, de mes artistes, qui n'arrivaient pas à survivre avec le théâtre et qui ont essayé d'aller travailler avec les sorcières. Ils en sont revenus traumatisés et blessés. Mais cette femme, je l'ai vue passer dans la rue de l'Église l'autre jour, avec ses nouveaux amis. Elle souriait aux anges.

— Peut-être qu'elle les aime, dit Cécil. C'est la seule explication. Pourrais-je la prendre avec moi maintenant ?

— Non, laissez-la faire son chemin, dit le Bouffon. Je veux voir comment elle va se débrouiller.

*
* *

C'était prestigieux, paradoxalement, de faire du bruit dans le quartier du pont. Les comédiens du théâtre d'Urh, une troupe rivale de celle de Cécil, entendirent parler de Barberousse et lui proposèrent de venir travailler avec eux. Un après-midi de juin, elle était assise avec Comédie en face de la petite bicoque de la jeune mendiante.

— Ne va pas chez eux, Barberousse, disait Comédie. Tu n'as rien à faire dans ces quartiers-là. Je veux que tu restes avec moi et qu'on continue de travailler ensemble.

— Mais je ne sais pas si tu comprends bien ce qui se passe, dit Smine. Ça pourrait être très drôle de s'approprier ce théâtre d'Urh. Nous pourrions considérer cela comme un phénomène d'expansion territoriale. Tu vois, je n'irais pas toute seule, j'exigerais que vous soyez acceptés en même temps que moi. Alors, d'une certaine manière, ça n'est qu'une façon d'étendre notre territoire, n'es-tu pas d'accord ? On annexe le théâtre du nord de la ville, celui qui fait concurrence aux gens de Spenntel-Hoguel.

— Je n'aime pas cette idée, dit Comédie. Tu as l'humeur bien batailleuse. Quant à moi, je n'ai pas envie de m'associer avec ces incapables qui n'ont jamais rien fait de bon, que des chicanes mesquines d'auteurs. Pourquoi irions-nous là-bas ? Ils savent si peu de chose. Les sorcières refuseraient que je m'aventure chez ces étrangers.

— Mais voyons, Comédie, repartit Smine. Ce ne seront plus des étrangers quand nous aurons fait leur connaissance. Mais qu'est-ce qu'il y a, mon petit chou, on dirait que tu pleures ?

— Oh ! oui, je pleure, dit la jeune femme qui s'était mise à sangloter. Tu ne sais pas ce que tu dis, Barberousse.

Elle n'était plus capable de parler et poussait des grands soupirs qui semblaient monter du plus profond d'elle-même, pendant que les larmes coulaient sur ses joues.

— Qu'est-ce qu'il y a, Comédie ? dit Smine doucement. Est-ce que tu as cette peine parce que j'ai dit que nous deviendrions amis avec les gens d'Urh ?

— Tu ne comprends pas, dit Comédie une fois qu'elle eut pleuré tout son saoul, tu ne comprends pas ce que nous vivons. Il y a quelque chose dont tu n'es pas consciente. Mississipi Free ne dirait jamais une chose pareille, que nous pouvons nous en aller travailler au théâtre du nord. C'est impensable. Elle, elle sait ce que nous faisons et elle est solidaire des autres, elle ne pourrait pas partir comme ça. Ce sont nos ennemis depuis des siècles. Ils nous haïssent et nous veulent du mal.

— Peut-être que tu exagères, dit Smine, hésitante. Peut-être qu'ils ne nous haïssent pas tant que ça. Tu vois bien que, pour eux, c'est important que je sois devenue l'une des vôtres. À mon arrivée, je me suis fait renvoyer de ces théâtres par le Bouffon Enguerrand. Et maintenant ils me demandent de venir chez eux parce qu'ils savent que vous m'avez acceptée. Ça nous donne quand même une idée de l'estime qu'ils ont pour vous.

— Ça n'est pas de l'estime, dit Comédie. C'est à cause de la Terreur. Ils ne marchent que par la Terreur. Ils veulent te sortir d'ici. Demande-le à Mississipi Free, demande-le lui, si tu as le droit de t'en aller chez les gens du nord. Demande-lui pour voir, elle va te gifler.

— Je serais très fâchée si elle essayait de me gifler, dit Smine. Je ne veux pas me battre avec Mississipi Free, mais je le ferais si elle essayait de me gifler.

— Elle est bien plus forte que toi, dit Comédie. Elle est plus forte que tout le monde, la sage-femme exceptée. Elle va te battre et t'enfermer pour t'empêcher de partir. Tu ne sais pas comment ça marche.

— Il doit y avoir une chose que je ne saisis pas, dit Smine.

— C'est sûr, Barberousse, dit Comédie, c'est sûr que tu ne comprends pas ce qui se passe. Tu dois rester ici, c'est ta place ici, Mississipi Free l'a décidé et si tu vas travailler pour le Bouffon, ils te chasseront de la ville à coups de pierres.

— Tu veux me faire peur, dit Smine, je le vois bien.

— Moi, suppose que je voudrais m'en aller là-bas, dit Comédie, crois-tu qu'ils me laisseraient partir ? (Elle s'était remise à pleurer.) Quand un enfant traverse la rue et qu'il y a des calèches qui s'en viennent à toute vitesse et qu'il risque de se faire écraser, qu'est-ce qu'on fait ? Mississipi Free l'attrape et lui donne une sacrée taloche afin qu'il ne refasse plus la même chose. Si tu revois les comédiens d'Urh, tu auras une sacrée taloche.

— Ne pleure pas, dit Smine. Je ne peux pas supporter de te voir pleurer. Je ne suis pas en danger, que je sache.

— Toi, niaiseuse trouvère des Pays-Bas, tu ne sais pas ce que c'est que le danger. Je suis allée faire un tour de côté d'Urh pour les voir, les gens qui veulent te prendre. Ils ont le danger inscrit dans leurs yeux mornes, dans leurs regards ternes, j'ai vu le danger en personne. Elle avait pris la main de Smine. Tu vas rester avec moi, Barberousse, tu n'iras pas là-bas. Suis mon conseil.

— D'après ce que je peux voir, dit Smine en riant, même si je voulais, je crois que j'aurais du mal à m'en aller. Ce n'est pas un conseil que tu me donnes, c'est quasiment un ordre.

— C'est un ordre, dit Comédie. Tu ne sais rien, enfant naïve, tu n'as rien appris sur les routes, qu'à chanter tes maudites ballades pour les idiots. Moi, je sais, je sais voir les dangers dans la face cachée des choses. Et je sais où est ton bien.

— Tu veux me garder ici, tu parles uniquement pour me garder ici.

— Les sorcières n'ont pas besoin des ménestrels. Elles vivent depuis des siècles en s'arrangeant entre elles. Ce sont les ménestrels qui ont besoin des sorcières. Elles ne parlent pas pour accaparer les gens et les enfermer avec elles. Jamais ! Une telle pensée est une monstruosité ! Elles parlent pour te protéger. Ce sont les ménestrels, ces idiots insouciants, ce sont eux qui chantent pour séduire. Mais qu'est-ce qu'on peut faire quand un cerveau est rempli de vent ? Ne doit-on pas penser pour lui ? C'est toi qui as besoin des sorcières.

Elle allait encore se remettre à pleurer mais continua :

— Les gens du théâtre ont peur de nous. Elle est connue, Mississipi Free, dans la ville de Varthal. Et si tu ne vois pas comment elle est organisée et ce qu'ils ont fait pour la mettre sur un bûcher, c'est que tu es bien une écervelée. Sors d'ici, ils vont t'étouffer comme un papillon qu'on prend dans un filet et qu'on enferme dans une petite boîte pour le montrer à ses amis.

— Tu as l'air de considérer que le vaste monde, celui qui se déploie à l'extérieur de ton petit domaine, que l'univers hors du quartier du pont n'est qu'un abîme infernal dont on doit se protéger, dit Smine qui commençait à s'amuser. Pourquoi ne serait-ce pas moi qui aurais raison ? Moi qui ai voyagé sur toutes les routes par tous les temps ? Comment est le vaste monde, Comédie ? Est-ce qu'il n'y a plus aucune beauté ni aucune intelligence, lorsqu'on s'aventure hors des jupes de Mississipi Free ?

— Oh ! la meilleure place est ici, c'est sûr, dit Comédie dont les yeux s'étaient agrandis de terreur. Ailleurs, c'est une jungle terrible et tu verras des démons malins qui vont te faire souffrir mille morts, et des monstres qui n'ont plus de cœur dans le ventre ou de lait dans leur sang depuis longtemps. Et leur voix est dure et rocailleuse et te fera mal aux oreilles, et leur visage te fera mal aux yeux par sa laideur, et les mots qui sortent de leur bouche sont dangereux et peuvent te coincer comme s'ils étaient des pinces de homard. D'ailleurs, ils sont misogynes. À l'extérieur du territoire qui est sous la juridiction de la sage-femme, l'univers entier est misogyne. Oh ! on me l'a dit mille fois, et une femme ne saurait vivre ailleurs qu'ici sans subir mille tourments.

Chapitre XVI

Le code

« Vous savez, disait Chazel à Cécil qui était assis à côté de lui dans la grande salle de répétitions, vous savez, je crois qu'il vaudrait mieux laisser tomber l'italien et le néo-eupheuiste pendant quelque temps. Il y a une nouvelle mode qui monte des quartiers du pont, et j'ai bien l'impression que votre public va nous demander de nous exprimer de cette façon d'ici peu. C'est le peuple des mendiants qui sert de baromètre culturel à Varthal. Quand il s'intéresse à une nouvelle forme, c'est assez rare que la population entière ne les suive pas aussitôt. Surtout en ce qui concerne le théâtre. C'est le peuple qui décide, du moins, c'est mon opinion. C'est lui qui crée les formes, et les sorcières ont une influence si extraordinaire sur la culture qu'elles ont toujours décidé, en fin de compte, des formes qu'on emploierait. »

— Ce ne sont quand même pas elles qui ont inventé la mode italienne ? répondit Cécil.

— Je vais sans doute vous surprendre, dit Chazel, mais c'est Béatrice, la sage-femme de l'est, qui a importé l'italien au temps du Roi Henri, et on raconte qu'elle vit encore sous les ponts de Varthal, bien qu'elle aurait maintenant plus de cent ans. L'italien et la préciosité avaient d'abord été expérimentés sur les bords du fleuve au milieu des détritus, dans le quartier de la peste. Ils avaient été emmenés jusque-là par les gens qui désertaient les croisades, les excommuniés.

— Ce sont eux qui ont inventé le maniérisme ? dit Cécil. Les excommuniés ?

— Oui, dit Chazel. Aussi surprenant que cela puisse paraître, ce sont bien les excommuniés qui étaient précieux d'abord, et non pas la Cour de Varthal.

— Mais peut-être que le maniérisme existait déjà en Italie et qu'ils se contentaient de l'exporter ? C'est sans doute ce que vous voulez dire ?

— Non, pas du tout. S'il existait en Italie, c'était déjà chez les excommuniés d'Italie. C'est vraiment eux qui l'ont inventé. Puis, en Italie, il a passé chez les peintres. Mais quand il est arrivé à Varthal, il est venu des excommuniés d'Italie eux-mêmes, qui sont allés trouver Béatrice. C'est ce qui s'est passé. Cela vous paraît curieux ? Vous pensiez que l'eupheuisme était un langage de Cour. Mais vous devriez savoir que les Cours des royaumes n'inventent jamais rien.

— Mais comment expliquez-vous que les nomades qui désertaient les croisades et que l'Église poursuivait avec l'intention de les brûler, comment expliquez-vous que ces gens-là aient produit une forme aussi sophistiquée ?

— Eh bien, ils étaient maniérés, dit Chazel. C'est comme ça. Ils inventaient un style qui leur allait, n'est-ce pas ? Alors, c'est tout simplement parce qu'ils s'exprimaient de façon maniérée. Les excommuniés étaient les premiers précieux et ils ont influencé tout l'Occident, en passant par les sorcières. Il faut vous représenter ces fuyards nomades comme des gens qui auraient développé et sophistiqué à l'extrême un comportement qui allait à l'encontre de celui dont l'Église avait besoin pour les croisades et les autres guerres. Cela a donné la préciosité.

— Eh bien ! dit Cécil qui était stupéfait, cela me rend l'italien plus sympathique.

— Ça vous explique aussi pourquoi vous avez eu tant de facilité à l'employer, dit Chazel. Mais ce n'est pas ce qui me préoccupe maintenant. Le vent change. Et une rumeur venant des ponts est parvenue aux marchands de la basse-ville qu'on se met à chanter en oïl, la langue des Pays-Bas. Et ces nouveaux sons, rauques et fous, plaisent aux oreilles des citoyens.

— Je n'y comprends rien, à ces chansons, dit Cécil. Je veux bien qu'elles soient agréables à l'oreille, mais je ne vois pas pourquoi je devrais en changer mon style.

— Si la mode change, vous devrez vous adapter, Cécil, sinon mon théâtre va se trouver désaffecté. Il faut toujours prendre la mode au sérieux. Surtout quand elle vient du quartier de l'est. C'est Mississipi Free, à ce qu'on m'a dit, qui a pris la trouvère en charge. Ils auraient pu la rejeter, comme je les ai vus faire si souvent avec d'autres. C'est le signe qu'ils étaient prêts pour cette nouvelle forme. On peut même dire qu'ils la connaissaient peut-être déjà et l'expérimentaient entre eux. L'est est le laboratoire des formes neuves, tout le monde sait ça. Même le Bouffon vous dirait la même chose que moi. Il n'y a pas un citoyen dans cette ville qui ne voudrait prendre la chose au sérieux, une fois qu'on sait qu'elle est défendue par Mississipi Free, bien qu'on lui crache dessus et qu'elle soit détestée. Elle règne par la Terreur sur toute la basse-ville, elle est forte de sa légende et on ne sait pas si elle est née à Varthal il y a cinquante ans, ou si elle a traversé les siècles et nous arrive de l'ère lointaine des Césars. Le mystère qui entoure le quartier du pont influence la population et confère à ces gens un pouvoir dont vous ne sauriez imaginer l'ampleur.

— Mais je ne veux pas changer pour autant ma façon d'écrire, dit Cécil. J'écris pour mon public et je crois fermement que je lui donne ce qu'il désire.

— Je n'en suis pas si sûr, dit Chazel.

*

*   *

Lyly, curieux, alla trouver Comédie pour lui demander ce qui se passait dans l'est. La jeune femme, qui épaulait sa nouvelle amie, lui expliqua qu'un art nouveau allait révolutionner la chanson à Varthal et qu'il surgissait ainsi, subitement, d'une impulsion irrésistible. C'était un signe des temps, disait-elle, le signe d'un bouleversement profond de la connaissance et du langage. Elle lui raconta qu'ils avaient préparé eux-mêmes cet avènement d'un nouveau discours bien avant l'arrivée de Barberousse, et qu'ils considéraient maintenant qu'ils devaient le diffuser.

— C'est grotesque, dit Lyly. Ça n'a aucun sens. Ce n'est pas ainsi que les formes se font et se défont. La vérité, c'est que vous en avez assez de vivre misérablement sous les ponts et que vous essayez de vous faire un peu de publicité en jouant les sophistes. C'est du banditisme ! Et cette littérature que vous proposez ne durera pas longtemps ; profitez de votre popularité actuelle, car les modes sont toujours éphémères. Vous ne réussirez à faire qu'un feu de paille.

— Tu as peur pour ton écrivain ? dit Comédie. Tu as peur qu'il perde sa propre popularité à cause de nous ?

— C'est idiot, dit Lyly. Je n'ai rien contre vous et les styles peuvent coexister, il me semble. Mais je vous trouve bien guerriers de croire que vous allez empêcher les gens d'écrire ce qu'ils veulent et qu'il n'y aura plus rien après vous.

Comédie, quant à elle, n'avait pas perdu son temps depuis l'arrivée de Barberousse. Travaillant nuit et jour, elle avait écrit une cinquantaine de petits recueils dans cette nouvelle langue d'oïl, s'aidant d'un dictionnaire. Elle les publiait maintenant, à raison de deux par semaine, chez un éditeur de Varthal qui avait décidé de se spécialiser dans ce qu'on appelait maintenant « le code oïl », on ne sait trop pour quelle raison, et elle commençait à connaître un sérieux succès avec ses œuvres.

— Regarde, dit-elle en sortant les plaquettes de son sac à main, j'en ai publié dix le mois dernier. Hugh s'y est mis aussi, et Mississipi Free, et tout le monde. Mississipi m'a dit qu'elle avait deux ou trois centaines de ces petites œuvres chez elle, qu'elle avait écrites au cours des dix dernières années et qu'elle avait l'intention de ressortir maintenant du fond de ses tiroirs. Tu avoueras que ce style est beaucoup plus amusant et plus intense et qu'il mérite bien l'intérêt qu'on lui porte.

— Ça me tombe des mains, dit Lyly après avoir consulté l'un des petits livres. Je n'y comprends rien du tout.

— C'est parce que tu n'es pas familier avec le code, dit Comédie. Si tu comprenais le code, tu verrais comme c'est intéressant. Mais tu es tellement ignorant, tu ne sais pas ce qui se passe sur le continent. Tu devrais te recycler.

Lyly resta quelque temps pensif, les yeux dans le vide, dans une totale perplexité.

— Ce que tu dis n'a pas de sens, finit-il par répondre. C'est parfaitement paradoxal, et exaspérant pour cette raison. Quand Cydril chantait au temps du Roi

Charles, il y avait aussi le grand Moliesse et beaucoup d'autres avec lui. Crois-tu que lorsqu'est arrivé Lulu et qu'il y a eu cette Lulumanie dans le pays de Farthag, crois-tu qu'on a oublié Cydril pour autant ? On raconte que Lulu lui-même s'arrangeait pour se trouver aux alentours de sa maison le matin, pour lui ouvrir la porte de sa calèche, alors qu'il était si vieux et qu'il allait mourir quelques années plus tard, à quatre-vingt-cinq ans. Ceux qui ont agi comme vous le faites n'ont jamais rien apporté de vraiment nouveau.

— En attendant, la Comtesse d'Alpenstock demande à nous rencontrer, et nous allons peut-être monter un spectacle « code » à la Cour. Et nous avons refusé bien des emplois qu'on nous proposait, dont celui d'écrire pour le théâtre d'Urh.

— Je ne supporte plus ce mot de « code », dit Lyly. Je l'ai entendu trop souvent sans en comprendre la signification.

— Il n'a pas encore été très bien défini, dit Comédie. Il faut attendre un peu avant qu'on définisse très exactement les nouveaux concepts.

— Explique-le donc si tu peux, dit Lyly sur un ton de défi. Je parie que tu vas être bien embêtée et que tu devras reconnaître que ça n'est qu'une façon de faire du bruit. Je vous trouve bien décevants quant à moi, et je sais que Cécil est absolument navré.

— Ce n'est plus l'Italie, maintenant, c'est les Pays-Bas, dit Comédie en chantonnant.

— Marionnette ! siffla Lyly entre ses dents.

*
* *

La situation empira rapidement, à cause probablement de l'énergie qu'y mettaient les gueux de l'est, prompts à réagir lorsque les événements leur paraissaient une bonne occasion de s'amuser à peu de frais. La Comtesse d'Alpenstock demanda qu'on monte un spectacle « code » à la Cour de Varthal, et c'est la grosse Mississipi Free qui se chargea d'écrire la pièce et de choisir les comédiens, qui étaient tous parmi ses amis de longue date. Cette pièce, dont aucun spectateur ne comprit la moindre phrase, entièrement écrite en langue d'oïl, eut un succès fou, on ne sait pour quelle raison. Et la Comtesse, qui aimait que sa ville soit animée, exigea que Mississipi Free la reprenne au théâtre de Chazel, en remplacement d'un drame de Cécil. Le Bouffon voulut s'opposer à ce projet, mais le directeur du théâtre était consentant et toute la population désirait voir la pièce de Mississipi, cette pièce dans laquelle, entre autres, on pouvait voir chanter Barberousse et Comédie. Le théâtre ne dérougissait pas et, en ville, les gens ne parlaient plus que des sorcières et de la légende de Mississipi Free.

Mississipi Free… On ne pouvait pas dire que, jusqu'à présent, elle avait été anonyme. Chacun des habitants de Varthal la connaissait depuis longtemps. On était habitué à la voir mendier à la porte de l'église, dirigeant sa horde de pauvres hères déguenillés, et les gens se rappelaient aussi que, dans sa jeunesse, elle était tellement terrifiante qu'on avait essayé de la brûler et qu'on lui avait coupé un doigt. Elle était née sous les ponts, disaient certains, elle était l'une des descendantes directes de la sage-femme Béatrice qu'on croyait sans doute morte à cette heure, mais d'autres prétendaient que Mississipi, comme Béatrice, avait toujours existé à Varthal, même aux premiers temps de l'histoire, et ils disaient aussi qu'on trouverait trace de Mississipi Free dans les vieilles chroniques, quand Varthal n'était qu'un château-fort. Ils racontaient qu'elle était déjà là, non pas la fille ou la petite-fille de Béatrice, mais une sorte de sœur, à l'époque des premiers Rois, qu'elle tramait déjà ses plans de sorcière sur les berges du fleuve, que ces vieilles femmes, sous leur déguisement grossier de mendiantes, étaient nées en même temps que la terre, avaient surgi sur la terre, quand on avait séparé celle-ci des eaux et qu'elles avaient toujours été là ensuite, pour empêcher les honnêtes gens de dormir en paix dans la quiétude de leurs cités bien policées.

Selon d'autres encore, des femmes surtout, la ville était protégée par Béatrice depuis deux cents ans, et Mississipi Free avait comme tâche de l'assister dans ce travail de protection. C'était la version que les femmes se racontaient entre elles, de mère en fille. Lorsqu'une jeune femme devait accoucher de son premier enfant et qu'une noire inquiétude montait tout à coup de ses entrailles, sa mère venait lui dire l'histoire de la sage-femme et de Mississipi Free sous les ponts, l'histoire de celles qui protégeaient les femmes enceintes et les nouveau-nés qu'on allaite, et elles disaient à leurs filles que les mendiantes du quartier de la peste allaient marrainer son premier-né et qu'il serait préservé de toute douleur pendant ses premières années parce que les sorcières avaient inscrit leurs emblèmes au-dessus du ciel de Varthal. Alors l'inquiétude disparaissait du visage des citoyennes qui allaient enfanter, et elles croyaient dur comme fer que Béatrice et Mississipi Free étaient ces vieux anges protecteurs qui leur assuraient la sécurité. Elles oubliaient cette histoire ensuite, une fois passé le moment difficile, et cessaient d'y croire. Mais quand on attaquait les mendiantes, la plupart des femmes de la ville prenaient leur défense, parce que quelque chose se révoltait à l'intérieur d'elles-mêmes qu'elles n'auraient su nommer, et qui était le souvenir de ces quelques jours pendant lesquels elles avaient cru si fortement à la légende.

Donc Mississipi Free aux nombreuses personnalités avait maintenant joué une comédie dans la ville, une comédie à laquelle, en plus, on ne comprenait rien, elle était sortie pour un instant de cette semi-clandestinité dans laquelle elle s'était presque toujours réfugiée, et cela était un grand événement.

— La mode ! cria-t-elle en gesticulant devant sa vieille cabane. Me voilà, moi, Mississipi Free la Terreur, me voilà à la mode ! C'est manqué, c'est tout à fait manqué, par la faute de cette maudite Barberousse arriviste de sa Hollande de chats crevés. On avait bien besoin de monter jusque chez la Comtesse de Canne des Alpes !

— Mais voyons, Mississipi, disait Smine alias Barberousse, qui était assise avec Comédie à la porte de la maison voisine. Tu devrais être contente ! Voilà que tes paroles sont dans la bouche de tout le monde.

— Maudite innocente ! dit Mississipi. Chanter du blues à la Cour de Varthal ! Ça devait rester dans nos ruelles, ce ne sont pas des chansons pour les boutiquiers.

— Ils vont te dessiner, Mississipi, dit Comédie. Ils vont te représenter avec une trompette et vendre ton portrait miniature chez le vendeur Simpsons. Ils vont faire des petites figurines et les accrocher à leurs rideaux et on verra partout des petites Mississipi en plastique sur le bord des fenêtres quand on va se promener par les rues de Varthal.

— Maudites folles ! Elles ont vendu nos inconscients aux fabricants de plastique !

— Moi, j'ai gagné sur le Sieur Cécil, dit Smine.

— Tu verras ce qu'il en coûte, Barberousse, de nourrir des rancunes comme les tiennes, mauvaise âme, dit Mississipi. Quand tu comprendras où cela nous amène, tu verras que tu prendras des résolutions de ne plus te revancher de personne.

— Tu t'en fais pour rien, dit Smine. Pense plutôt à t'amuser des événements comme tout le monde et arrête tes imprécations.

— En plastique dans les vitrines ! dit Mississipi en crachant par terre. Pouaf ! Je vais envoyer tous ces jolis plans en l'air, vous allez voir ça !

Chapitre XVII

La chapelle

Lyly, qui venait de traverser la place de l'Église, buta sur Monsieur Kellogg qui tenait la petite Béatrice par la main. Monsieur Kellogg était vêtu d'un grand paletot gris et coiffé d'un feutre mou et ils avaient tous deux, lui et la petite fille, l'air de sortir d'un pub qui se trouvait à côté. Béatrice portait un manteau à carreaux écossais avec un col de dentelle blanche.

— Monsieur Kellogg ! dit Lyly. Qu'est-ce que vous faites à Varthal ? Comment vont les jardiniers, au séminaire d'Holintrik ?

— Oh ! bonjour, Monsieur Lyly, dit Kellogg. Comment allez-vous ? Vous voyez, j'ai amené Béatrice pour lui faire voir la ville. Nous venons de visiter un pub et elle s'y est beaucoup amusée.

Lyly se pencha vers la petite fille et l'embrassa sur la joue.

— Elle a beaucoup grandi, dit-il. Est-ce que tu me reconnais, Béatrice ?

— C'est lui qui est venu à Holintrik au printemps avec son ami Rozie ? demanda Béatrice à Monsieur Kellogg.

— C'est ça, dit Monsieur Kellogg. Tu as une très bonne mémoire.

— Je vais très bien, dit Béatrice à Lyly. Je vais toujours de mieux en mieux.

— Elle croit qu'on va de mieux en mieux, au fur et à mesure qu'on vieillit, dit Monsieur Kellogg à Lyly. Je ne sais pas où elle a pris cette idée saugrenue, mais on ne peut pas la lui enlever de la tête.

— Est-ce que tu t'amuses à Varthal, Béatrice ? dit Lyly.

— Oh ! c'est une ville étonnamment amusante, répondit Béatrice en appuyant sur le mot étonnamment.

— Est-ce que tu voudrais y vivre ? dit Monsieur Kellogg. Voudrais-tu qu'on vienne s'installer à Varthal avec toute la bande ?

— Oh non ! dit Béatrice. Qu'est-ce que feraient les jardiniers ?

— Elle s'inquiète pour son jardin, dit Monsieur Kellogg à Lyly. Elle n'est pas encore capable d'imaginer qu'elle puisse se passer de son jardin. Nous allons nous acheter une crème glacée, ajouta-t-il à l'intention de Béatrice. Nous en avons obtenu la permission par un vote majoritaire ce matin.

— Je n'aimerais pas quitter Holintrik, pour sûr, disait Béatrice alors qu'ils se dirigeaient vers le marchand de crème glacée qui se tenait au coin de la rue de l'Église. Je ne pense pas que je vais jamais laisser le séminaire. Qu'est-ce qui arriverait à mon jardin ? Vous avez une drôle d'idée, vraiment, de penser que je puisse vivre à Varthal et abandonner mon jardin aussi facilement. Réellement, c'est une idée très étrange.

— Ne parle pas tant, dit Monsieur Kellogg. Tu vas te fatiguer. Tu as déjà parlé tout l'après-midi.

— Qu'est-ce que ça veut dire, Monsieur Kellogg, dit Béatrice, « pas encore capable d'imaginer qu'elle puisse se passer de son jardin » ? Expliquez-moi ça, je vous en prie.

— Tu ne te préoccuperas plus de ton jardin, dans quelques années, dit Lyly. Tu auras d'autres intérêts et tu oublieras le jardin d'Holintrik un jour.

— Qu'est-ce qu'il dit ? demanda Béatrice. Monsieur Kellogg, est-ce que dans ce cas on peut parler d'une « insolence » ? J'ai l'impression qu'il s'agit d'une « insolence ».

— Il ne faut pas lui dire ça, avertit Monsieur Kellogg. Elle ne peut vraiment pas le comprendre maintenant. Non, ce n'est pas une « insolence », Béatrice. C'est une gaffe.

— Oh ! vous faites des gaffes ? dit Béatrice en pouffant de rire dans sa main. Pauvre Lyly, vous êtes franchement gaffeur. Tout le monde va se moquer de vous. C'est un chien de poche, hein, Kellogg ?

— Elle mélange tout, expliqua Monsieur Kellogg à Lyly. En ce moment, elle est fascinée par les nouveaux mots qu'elle apprend et elle ne les utilise pas encore correctement. Les gaffes de Béatrice sont toujours associées aux questions de jardinage. Elle peut suivre le même jardinier toute la journée et alors on la traite de « chien de poche », surtout quand elle fait des gaffes.

— Comme d'écraser les fleurs, par exemple, précisa Béatrice. Mais tu te trompes bien, Kellogg, quand tu dis que je vais me passer de mon jardin dans deux ans. C'est insensé. C'est une grosse erreur, selon moi, et ça mériterait qu'on t'enlève des points. Je vais le dire à Duncan Hines en rentrant, quitte à passer pour un panier percé.

— Elle souffre d'insécurité, dit Monsieur Kellogg à Lyly.

— Ah ! c'est dommage, dit Lyly. Mais pourquoi donc ? Il me semblait qu'elle était très entourée ?

— C'est un stage, expliqua Monsieur Kellogg. Nous lui faisons faire un petit stage d'insécurité depuis deux mois. C'est pour la mettre en garde contre la métaphysique. Vous comprenez, c'est une faiblesse de notre système d'enseignement. Elle est tellement entourée de soins que nous avons dû provoquer artificiellement le sentiment d'insécurité.

— Sinon, je n'aurais aucune expérience de l'incurie, ajouta Béatrice.

— C'est très bien dit, cela, s'exclama Monsieur Kellogg en embrassant joyeusement la petite fille. Vous voyez, elle est capable de jouer sur les mots « incurie » et « insécurité ».

— C'est pour cette raison que vous l'avez emmenée à Varthal ? demanda Lyly.

— Oui, c'est à cause du stage, dit Kellogg à l'oreille de Lyly.

— Qu'est-ce qu'il dit ? demanda Béatrice qui avait l'air très inquiète. Je n'aime donc pas quand il se met à chuchoter, celui-là ! Diable !

— Elle déteste le semestre d'insécurité, dit Monsieur Kellogg. On a du mal à le lui faire accepter.

— Est-ce que je suis à Varthal à cause du maudit stage ? demanda Béatrice qui mangeait sa crème glacée sans appétit. Vous voyez, Lyly, le plus grand S.S. du séminaire d'Holintrik veut m'abandonner au coin d'une rue, à cause de son maudit semestre.

— Elle est très fâchée maintenant, dit Monsieur Kellogg. C'est pour ça qu'elle dit tout le temps « maudit ». Tu peux manger ta crème glacée sans te faire du souci, Béatrice. Je vais te ramener demain au séminaire.

— Le maudit S.S. ! dit Béatrice qui semblait quand

même prendre plus de plaisir à manger. Les trente-deux S.S. !

— Nous avions compris, dit Monsieur Kellogg. Ça n'était pas nécessaire de le répéter. Nous ne sommes pas sourds. Elle m'en veut beaucoup, dit-il à Lyly. C'est moi qui ai eu l'idée du stage. Je crois réellement que le stage s'imposait. D'ailleurs, elle apprend beaucoup plus vite.

— Si je ne me retenais pas, je lui donnerais un coup de pied dans le tibia, dit Béatrice. Il s'écroulerait par terre au milieu de la rue, tellement ses jambes sont maigres et flageolantes. Hein, Lyly, continua-t-elle, emportée par son rêve de vengeance, il tomberait par terre sur le trottoir.

Elle riait maintenant aussi fort qu'elle le pouvait.

— Il se ferait écraser par une calèche. Plouf, ploc, ploc ! le sang qui éclabousse toute la rue. Monsieur Kellogg est crevé. Des morceaux partout ! Un œil de Kellogg sur le lampadaire ! Le genou de Monsieur Kellogg sur l'épaule du policier !

Elle dansait sur le trottoir et donnait vraiment l'impression de voir tout ce qu'elle décrivait.

— Le fatigant est accroché partout dans la rue de Varthal ! Plof dans la vitrine du vendeur de chapeaux, une oreille est restée collée dans la vitrine.

— Comme ça, il n'y aurait plus personne pour te ramener à Holintrik, dit Monsieur Kellogg posément. D'ailleurs, je doute que je tomberais par terre d'un seul coup de pied dans le tibia.

— Il tomberait sûrement par terre, hein, Lyly ? dit Béatrice qui était tellement excitée qu'elle avait dû s'asseoir au bord du trottoir, agitée d'un immense fou rire, et se balançait d'avant en arrière en se tenant les côtes.

— Je suis très fier de son imagination, dit Monsieur

Kellogg en aparté à Lyly. Nous devrons vous laisser bien-tôt, ajouta-t-il, nous avons rendez-vous à la nouvelle chapelle.

— La nouvelle chapelle ? demanda Lyly. Mais je peux peut-être vous accompagner ? Je n'ai rien à faire tout à l'heure et je me ferais une joie d'aller avec vous. Il y a tellement longtemps que j'avais envie de vous revoir.

— Je suis désolé, dit Monsieur Kellogg, mais vous ne pouvez venir avec nous. Savez-vous où nous allons ? Nous nous rendons sous le pont de Varthal, dans le quartier de la peste. Vous avez entendu parler, sans doute, de cette histoire d'art nouveau, concernant Mississipi Free et les clochards de l'est. Eh bien, c'est là que nous nous rendons. Nous avons rendez-vous avec toute la bande dans la chapelle qu'ils viennent de construire pour tenir leurs meetings.

— Ah ! ils ont construit une chapelle ?

— Bien sûr ! Ça s'imposait ! Mais je croyais que vous le saviez. Tout à l'heure, il y avait des gens qui en parlaient, à une table à côté de la nôtre. La semaine dernière, les mendiants ont édifié une petite chapelle à côté de l'estrade qu'on avait installée pour Barberousse. Mais je ne peux pas vous emmener. C'est très sélect et il faut y être invité.

— Ils en inventent tous les jours ! dit Lyly. Ils ne finiront pas de nous exaspérer ! Mais moi, je suis un ami de Comédie, pourquoi ne puis-je pas être invité ? Et vous, par quel hasard êtes-vous admis ?

— Nous sommes des amis de la sage-femme, vous devez vous en rappeler. C'est elle qui vous a d'abord envoyé chez nous.

— La vieille Béatrice ?... dit Lyly. J'avais oublié. Et pourquoi celle-ci s'appelle-t-elle Béatrice aussi ?

— Vous êtes trop curieux, mon jeune ami, dit Monsieur Kellogg.

— Il est indiscret, dit Béatrice qui s'était calmée et avait repris la main de son vieil éducateur.

Lyly les accompagna un bout de chemin, pendant qu'ils se rendaient à pied dans l'est, puis il les laissa à regret après avoir promis qu'il retournerait bientôt les voir au séminaire. Lorsqu'ils furent arrivés à la porte de la nouvelle chapelle, Monsieur Kellogg entra sans frapper et se dirigea tout droit sur Mississipi Free qui était en train de parler, montée dans une chaire.

— Comment avez-vous fait pour entrer, Kellogg ? dit Mississipi Free en interrompant son discours. Je croyais que la porte était fermée.

— Elle n'était pas fermée, dit Monsieur Kellogg. Mais j'espère que vous m'attendiez et que je ne me suis pas trompé.

— Mais non, vous ne vous êtes pas trompé, Kellogg, dit Mississipi qui était descendue de sa chaire pour aller embrasser Béatrice. Comment ça va, mon beau chou ? Mon doux, que tu as grandi !

— Je vais toujours de mieux en mieux, dit Béatrice.

— Je suis enchantée de l'apprendre, dit Mississipi Free. Mais, Kellogg, vous dites que la porte n'était pas fermée. Qui a laissé cette porte ouverte ? Je n'insisterai jamais assez sur la nécessité de fermer la porte. Je voudrais savoir qui a bien pu laisser la porte ouverte.

Elle s'adressait à un petit groupe d'amis qui se tassaient à l'intérieur de la chapelle sombre. Dans un coin, assise par terre sur ses talons et adossée au mur, se trouvait Barberousse, qui avait l'air de réparer quelque chose dans sa viole. En face de la chaire, il y avait quelques mendiantes entre deux âges, accompagnées de leurs enfants, et on pouvait aussi reconnaître Hugh et un autre de ces gueux qui jouaient maintenant dans le théâtre de la grosse Mississipi.

— Ce n'est pas moi, dit Barberousse de son coin, ce n'est pas moi qui aurais laissé la porte ouverte. Je m'arrange toujours pour que les portes soient fermées.

— Ni moi, dit Comédie. J'ai même surveillé à la porte une partie de l'après-midi, pour être bien certaine que les gens ne viendraient que sur invitation.

— Quand je suis entré, j'ai pu oublier de fermer la porte, dit Hugh. Je suis tellement distrait, j'ai dû oublier de la fermer.

Mississipi Free était allée à la porte et avait mis le cadenas.

— Comme ça, dit-elle, on aura la paix. Alors, comment vous portez-vous, Kellogg ? Comment vont les gens au séminaire ?

— Oh ! c'est toujours la même vie tranquille, dit Kellogg, la même existence sans problèmes. Vous avez remarqué comme Béatrice a grandi ? C'est une grande fille maintenant. Elle parle beaucoup, nous lui avons appris des tas de nouveaux mots.

— Elle a maigri, on dirait, dit Mississipi Free.

— Elle traverse une période difficile, expliqua Monsieur Kellogg. Mais n'en parlons pas devant elle. Nous en avons suffisamment parlé tout à l'heure, avec le Sieur Lyly.

— Vous avez rencontré Lyly ? demanda Comédie. Comment va-t-il ? Il ne vient plus me voir.

— Justement, il voulait entrer ici avec moi, expliqua Kellogg. J'ai dû lui dire qu'il fallait une invitation.

— Il n'est pas admis, cria Barberousse, toujours accroupie dans son coin. Il n'a pas le droit d'entrer ici.

— Il est très fâché, je crois, dit Monsieur Kellogg.

Quelqu'un frappa à la porte et Comédie la lui ouvrit. C'était un autre gueux, un mime qui jouait avec elle.

— Bonjour ! fit-il à la ronde. J'ai rencontré quelqu'un qui veut entrer. Dois-je lui ouvrir la porte ?

— Qu'est-ce qu'il dit ? demanda Mississipi Free.

— Il dit que vous êtes une bande de vendus élitistes.

— Qu'est-ce que tu en penses, Béatrice ? demanda Monsieur Kellogg à la petite fille. Est-ce que nous allons le laisser entrer ?

— Je suis séduite, dit Barberousse ironiquement.

— C'est toi qui vas décider, Béatrice, dit Monsieur Kellogg. Il y a quelqu'un qui veut entrer ici et il prétend que nous sommes des petits escrocs. Est-ce un bon mot de passe, selon toi ?

— Qu'il reste dehors, dit Béatrice.

— Elle est snob, dit Monsieur Kellogg en se tournant vers les autres. S'il vous plaît, Hugh, retournez lui dire que nous sommes snobs et qu'il ne peut pas entrer pour cette raison. Mais je suppose que nous ne sommes pas ici pour parler uniquement de la porte. Quelle est la question à l'ordre du jour ?

— C'est la mode ! dit Mississipi Free. J'ai mis la mode à l'ordre du jour.

— Si elle parlait un tout petit peu plus fort, elle mettrait la question de la mode à la mode, dit Barberousse. Elle en serait bien capable.

— Je pourrais le faire sans dire un mot, dit Mississipi. Je n'ai pas besoin de parler plus fort pour qu'une telle chose se fasse. Je prétends que je pourrais le faire en silence. Ainsi vont les choses !

— Non, ce n'est pas la mode qui est la question du jour, dit Barberousse qui s'était avancée vers Kellogg. J'ai demandé aux gens de venir parce que j'ai reçu hier une lettre du Bouffon Enguerrand. Il m'écrit que nous n'avons pas le droit, d'après la loi qui régit les établissements culturels, de construire une chapelle dans le quartier de la peste sans son approbation. Il me somme aussi d'ouvrir cette porte. Il dit que nous n'avons pas le droit non plus de nous enfermer à clef.

— Nous avons le droit de nous embarrer si ça nous plaît, dit Comédie. Il n'y a aucune loi à Varthal qui empêche les gens de fermer leurs portes à clef, que je sache.

— C'est vrai, dit Monsieur Kellogg. Le Bouffon est indécent et ça ne vaut même pas la peine de s'occuper de sa requête.

— Mais au sujet de cette loi des établissements culturels ? demanda Barberousse.

— Ceci n'est pas un établissement culturel, dit Mississipi Free, indignée. C'est une chapelle.

— On peut avoir quelque chose contre les chapelles, dit Monsieur Kellogg. Mais moi qui connais le droit de Varthal, je puis vous assurer qu'elles sont parfaitement légales. Je ne vois pas où le Bouffon a pu trouver son infraction.

— Il a dû la prendre, non pas dans la loi concernant les établissements culturels, mais dans cette jurisprudence le concernant lui-même et lui accordant le droit de pénétrer partout où ça lui chante, dit Barberousse.

— Justement, dit Monsieur Kellogg. C'est ce qui me fait dire que le Bouffon est parfaitement indécent. D'ailleurs, cela n'est pas inscrit dans la jurisprudence et ne constitue pas un droit. Ce n'est qu'une habitude, une mauvaise habitude.

— C'est ridicule de s'occuper de cette question, dit

Comédie. Pourquoi vous occupez-vous de cette question ?
Nous avons des choses plus importantes à faire.

— C'est-à-dire que le problème est né du fait que
vous ne vous en occupiez pas, dit Monsieur Kellogg.

— Il a raison, en fait, dit le vieux Hugh en regardant Mississipi Free. Moi qui suis un vieux sorcier, je sais
que tout, dans cette vie sociale, repose sur une question de
porte. C'est ça qu'elle disait tout à l'heure, qu'elle n'in-
sisterait jamais assez sur la nécessité de fermer la porte.

— Je comprends ça facilement, dit Monsieur Kellogg. Moi qui suis un vieil ermite qui aime la tranquillité.
Si tout n'est qu'une question de porte pour les sorciers de
la peste, tout est question de décence à Holintrik. C'est la
même chose.

— Notre grille d'analyse est plus raffinée et nous
permet de plus grandes possibilités d'action, fit remarquer
Hugh.

— Votre grille d'analyse, Monsieur Hugh, n'est
qu'une moderne application d'un système plus ancien
qu'on appelle le savoir-vivre et qui fut utilisé au cours des
siècles par les ermites et les humanistes dont nous descen-
dons à Holintrik.

— C'est vrai, je vous l'accorde, dit Hugh après un
moment de réflexion.

— Il y a autre chose dans la lettre du Bouffon et
cela m'a paru le plus piquant, dit Barberousse qui se tenait maintenant en plein milieu de la pièce et qui avait
sorti un gros rouleau de parchemin. Un instant, je vais
vous lire cette dernière remarque. Voici : « Nous nous
permettons d'autre part de formuler des griefs concernant
la fréquentation assidue et sectaire entre amis. Ayant consulté le Roi Arteur, nous croyons que nous avons le droit
de vous blâmer au sujet de ces fréquentations, et soyez

assurés que nous n'y manquerons pas. Il est question qu'on vote bientôt au Conseil une nouvelle loi qui permettrait à la direction des divertissements de régir et de choisir les fréquentations des amuseurs publics. » Est-ce que ce n'est pas un peu hystérique ? Ça me paraît hystérique, à moi.

— Mais nous pouvons démolir cette chapelle, si ça dérange les législateurs. Qu'en pensez-vous, Mississipi Free ? fit Kellogg en se tournant vers elle. Croyez-vous que j'aurais le droit d'aller faire un tour chez vous le dimanche après-midi avec la petite Béatrice ? Nous tiendrions conseil dans votre salon.

— Ce serait alors un salon, dit Barberousse. Je ne crois pas que vous auriez le droit d'aller visiter Mississipi Free dans son salon et de m'y inviter avec d'autres parce que ça deviendrait alors un salon.

— Nous irons dans sa chambre à coucher, dit Monsieur Kellogg. Ils ne nous en voudront pas si nous allons dans sa chambre à coucher.

— Cela est réglementé aussi, dit Barberousse.

*
* *

On détruisit la chapelle, évidemment, pour faire plaisir au Bouffon, et on tint dorénavant les réunions chez Mississipi Free, dans sa vieille cabane délabrée qui était quand même assez spacieuse. On allait dans son salon, ou dans sa cuisine, ou sur la galerie, ou n'importe où, où vouliez-vous qu'on aille ? Et il n'y eut plus aucune plainte de la part du Bouffon, ni de personne.

Barberousse considérait maintenant qu'elle avait largement sa revanche, et elle aurait dévoilé son identité si sa curiosité ne l'en avait empêchée. En effet, l'affaire ne lui appartenait plus vraiment. En acceptant l'aide des mendiants, elle avait sans doute contribué à provoquer le mouvement social qui agitait le quartier de l'est, mais ce qu'on appelait « le code » appartenait tout aussi bien, sinon davantage, à Mississipi Free, Comédie et les autres. Et maintenant elle ne voulait plus intervenir et risquer d'interrompre le processus enclenché, elle désirait qu'il se déroule au complet sous ses yeux.

Il y eut une visite du Sieur Cécil un jour, qui voulait lui parler. Elle lui fit répondre par Comédie qu'elle n'avait rien à lui dire et qu'il ferait mieux de s'adresser à Mississipi qui était, d'après elle, responsable de toute l'affaire. Il revint encore le lendemain et elle accepta de le rencontrer, probablement parce qu'elle n'avait rien à faire cet après-midi-là et qu'elle s'ennuyait un peu. Il ne resta pas très longtemps, il était lui-même occupé à monter un nouveau spectacle aux Deux Lanternes, celui précisément qui avait été d'abord remplacé par la pièce des gens de l'est. Il lui dit simplement qu'il ne comprenait plus bien les données du problème, et qu'il voulait s'en entretenir avec elle. Il disait qu'il était avec les gueux dans cette histoire, comme il l'avait toujours été, et qu'il ne voyait pas pourquoi on lui en voulait et le tenait à l'écart. Il disait qu'il se foutait bien de sa popularité en tant que dramaturge et qu'il était content de ce qui se passait. Il disait qu'il n'y avait aucun conflit, qu'il n'avait pas l'impression d'être impliqué dans cette histoire au niveau de ses intérêts, qu'il n'y perdait rien, même s'il ne devait plus jouer jamais sur une scène. Barberousse l'écouta un peu, puis elle se sentit fatiguée et elle lui coupa la parole pour lui expliquer qu'il n'avait rien à faire dans le quartier et qu'il devait laisser les gens tranquilles, qu'il n'était pas concerné.

Ensuite, quand les citoyens comprirent qu'ils allaient rester dans leur coin, qu'ils n'allaient plus bouger de chez eux et qu'ils chanteraient en « code » pour eux-mêmes sous les ponts, après que Mississipi Free effrayée eut refusé de retourner dans les théâtres de la ville, il y eut cette histoire avec les marchands. Il y avait une association de marchands du centre-ville. Dès qu'ils apprirent qu'il se passait quelque chose dans l'est, dès qu'ils furent certains que c'était à cet endroit que les nouveaux musiciens et comédiens allaient donner leurs spectacles et qu'on ne les verrait nulle part ailleurs, les marchands flairèrent qu'il y avait une fortune à faire dans ce coin-là et allèrent y planter leurs tentes. On les vit arriver, comme ça, tout d'un coup, une cinquantaine en même temps, on avait l'impression qu'ils étaient tous arrivés la même nuit. La journée d'avant il n'y avait personne, le quartier était un désert, le lendemain les marchands étaient là et tous les citoyens de Varthal, après leur travail, venaient fêter et se défouler dans le quartier de la peste. Ils descendaient les petites ruelles, par bandes de cinq ou six, se tenant par les épaules et pétant, criant toutes sortes d'obscénités, de tous leurs poumons échauffés par l'alcool. Et il y avait pire encore. Quand ils rentraient chez eux, quand ils retournaient à leurs étalages dans les rues du marché, les commerçants, inspirés par ce qu'ils avaient vu et entendu dans l'est, se servaient du style des mendiants pour vendre leurs produits, et cela marchait très bien. Cependant que sous les ponts, les pestiférés devenaient ces nouvelles bêtes de cirque qui faisaient briller pour un instant les yeux des bourgeois ventripotents, le samedi soir chez le Grec.

Mississipi tint conseil et dit :

— Je crois que nous n'obtenons pas ici le résultat désiré et que nous ne voyons qu'une fade copie, qu'un calque dérisoire sans cesse braqué sur nos sublimes faces, des intensités que nous cherchons à véhiculer. Que faire et comment se débarrasser de cette invasion de rats dans nos jardins, voilà bien la question qui se pose aujourd'hui.

— Nous devrions leur envoyer la peste, proposa Comédie qui était très fâchée. Je ne vois qu'une grande plaie comme la peste qui puisse produire l'effet que je désire maintenant. Je voudrais qu'ils soient tous à se tordre par terre, en tas, plutôt que de les voir comme ça, émoustillés et grivois, roter de satisfaction quand ils me regardent passer. Ne pouvons-nous leur inoculer un microbe qui les rendrait tous horriblement malades ?

— Nous aurions mieux fait, dit Barberousse, d'aller tous nous installer au théâtre d'Urh pour y monter nos spectacles. Mississipi, tu étais trop peureuse et nous n'y serions pas plus à la mode que maintenant, où nous n'avons même pas la propriété de ce que nous faisons.

Puis, pour finir, un soir de pleine lune, cette étrange visite.

Comédie était allée se promener en ville et passerait probablement la nuit dans quelque bistrot. Barberousse était couchée. Cécil ouvrit d'un coup sec la porte de la petite maison, sans avoir frappé.

— Qu'est-ce qui se passe ? demanda Smine qui se réveillait et voyait arriver l'écrivain en trombe vers son lit. Voulez-vous m'expliquer ce que vous faites ici ?

— Je suis désolé, dit Cécil, je suis désolé de vous déranger. Sortez du lit et habillez-vous, nous irons boire un pot quelque part si vous préférez que les choses se passent ainsi. Mais je dois vous parler.

— Je vous ai dit tout ce que j'avais à vous dire l'autre jour, je n'ai rien à ajouter. Et vous êtes bien impoli de vous introduire ici au milieu de la nuit sans même frapper. Je pourrais appeler la police et vous faire jeter en prison.

— Je vous emmène boire un pot, dit Cécil qui avait vraiment l'air décidé. Si vous n'acceptez pas, je vous emmènerai quand même, je me servirai de la force. Habillez-vous.

Elle se leva et enfila un pantalon et une grande chemise par-dessus son pyjama.

— Qu'est-ce qui vous prend ? dit-elle. Vous avez des insomnies ? Est-ce que c'est votre théâtre qui vous tracasse tant ?

— Je m'en fais pour vous, si vous voulez le savoir, dit Cécil. Croyez-le ou non, ça m'est parfaitement égal. Mais je ne peux pas supporter ce qui vous arrive. J'ai décidé que j'allais vous aider malgré vous. Est-ce que vous êtes malade ou quoi ? Vous ne voyez pas ce qui est en train de vous arriver ?

— Qu'est-ce qui est en train de m'arriver ? dit Smine.

— À vous et à vos amis. Je ne parle pas que pour vous, je me moque bien qu'un malheur vous advienne à vous en particulier. Enfin… je ne m'en moque pas vraiment et je serais peut-être aussi bouleversé si vous étiez seule dans cette affaire, je n'en sais rien. Mais il y a trop de vos amis qui sont également concernés, des gens que j'estime, et je ne peux supporter, entendez-vous, je ne tolère pas, moi qui observe la situation du fond de mon théâtre, qu'on vous traite à Varthal comme on le fait actuellement et qu'on pille ainsi le quartier de la peste au risque de détruire ce qui a fait sa réputation. Cela, je ne veux pas que ça se fasse avec mon consentement tacite.

Il l'avait saisie par le bras aussitôt qu'elle se fut habillée et la traînait maintenant d'un grand pas à travers les rues du quartier, vers le premier bar qu'ils trouveraient sur leur chemin.

— Vous avez innové à Varthal, au niveau des spectacles, disait-il tout en marchant, et je vous félicite. Vous méritez ces félicitations, soyez-en sûre. Moi qui connais le théâtre, je sais combien c'est difficile et ce qu'il en coûte pour séduire le peuple. Maintenant il s'agit de vous en sortir au plus vite parce que vous allez devenir complètement cinglés si on continue de vous traiter comme on le fait, en animaux touristiques, en bouffons grotesques. Vous méritez mieux que cela et ce n'est pas ce que vous avez voulu, je le sais. Pourquoi ne venez-vous pas à mon théâtre, je vous le prête pour tout l'hiver si vous le désirez, je convaincrai tout le monde, Chazel, Enguerrand, je les convaincrai de vous passer ma scène, je ferai la grève des textes s'il le faut pour que vous puissiez travailler, je ne suis pas mesquin et je n'ai pas peur de perdre ma place, je me moque de ces histoires. Prenez mon théâtre si vous le pouvez et sortez-vous du pétrin, que diable, avant qu'il ne soit trop tard.

— Trop tard, qu'est-ce que ça veut dire ? demanda Smine alors qu'ils passaient tous deux la porte d'une taverne presque vide à l'orée du quartier qu'ils venaient de quitter.

— Ça ne vous suffit pas d'être envahis ? dit Cécil qui avait l'air complètement sorti de ses gonds. Ça ne vous suffit pas d'être pillés et volés, vampirisés comme vous l'êtes maintenant ? Et qu'on vous défigure et qu'on vous déshonore et vous calque maladroitement et vous ridiculise et qu'on vous prenne jusqu'à vos noms et toutes ces heures de travail que vous avez fournies ? Voyez-vous ce que vous êtes en train de devenir ? Vous ne voyez pas ? Ce qui pourrait arriver à Mississipi Free, par exemple, et à tous ces comédiens, ces musiciens qui ont fait le renom du quartier, vous ne voyez pas ce qui leur arrive ? Est-ce que vous êtes masochiste ? Ou bien aveugle ? Ou peut-être que vous vous en fichez et que vous vous amusez de ce spectacle en voyeure sadique ? Eh bien, moi pas. Je ne dors plus la nuit, quand j'y pense, et comme j'y pense souvent, je ne dors plus du tout.

— Vous devriez aller vous coucher, dit Smine. Je vous assure, vous seriez plus à même de me parler demain après-midi, après une bonne nuit de sommeil. Vous êtes trop exalté, on voit bien que vous n'avez pas assez dormi.

— Je préfère vous parler dans cet état, dit Cécil en regardant Smine droit dans les yeux d'un air très grave. C'est peut-être grâce au fait que je n'ai pas assez dormi que j'ai trouvé ce courage de venir vous déranger chez vous au milieu de la nuit pour vous emmener discuter avec moi dans un bar. Et je remercie le ciel de l'avoir fait. Et je dis qu'heureux sont les hommes qui ont des insomnies, si ça leur permet de faire des folies de ce genre. Ne trouvez-vous pas que nous avions besoin de nous retrouver vous et moi cette nuit dans ce bar ? Est-ce qu'il ne fallait pas que ça arrive aussi ? Si j'avais dormi, je n'aurais jamais fait une extravagance pareille. Vous seriez en train de rêver que vous faites le singe pour les touristes, ce qui est la réalité. Alors ne vous en faites pas pour ces heures de sommeil perdu que vous rattraperez facilement demain matin, et avouez que j'ai eu raison, même si je suis délirant.

— Nous n'avons pas fait notre travail avec vous autres, dit Smine lentement. Nous pourrions même dire que nous l'avons fait contre vous.

Elle détourna son visage de lui et se mit à observer distraitement des clients à une autre table.

— Si vous ne me parlez pas maintenant, dit Cécil, vous allez perdre une de vos meilleures chances de vous en sortir, sans compter que vous commettrez aussi une méchanceté sans nom, parce que je suis venu vers vous sans pudeur, sur une impulsion, et parce que je suis alarmé.

— C'est bien, vous étiez alarmé, dit Smine en se levant. Elle posa sa main à plat sur sa chaise pour s'y appuyer. Vous êtes souvent alarmé. Bonsoir, Monsieur Cécil, je rentre me coucher.

Avant qu'elle n'ait eu le temps de faire deux pas, il l'avait rattrapée et ramenée sur sa chaise, aussi doucement que sa fureur le lui permettait.

— Je n'ai pas le droit de rentrer si ça me chante ? demanda-t-elle. Je pourrais appeler le gérant de ce bar ici même ou bien la police et leur demander de me ramener chez moi.

— La police ! dit Cécil. Vous ne savez pas ce que vous dites !

— La police ! Parfaitement ! dit Smine. La police, ça existe !

— Écoutez-moi bien, Barberousse, dit Cécil très lentement. Vous êtes en danger de mort. Vous êtes en danger d'extinction.

— En danger d'extinction ! dit Smine. Moi, je vais très bien, merci ! Je n'ai pas besoin de croire à la fin des cultures et à la fin des mondes pour vivre quelques intensités brutales et réveiller les femmes chez elles en pleine nuit. C'est vous qui devez être en danger de mort, moi, je ne me suis jamais si bien portée. Vous avez une phobie, vous devez croire que vous avez le cancer. Ces gens phobiques craignent toujours le cancer. Est-ce que vous ne croyez pas que vous avez peut-être un cancer qui va vous emporter en quelques mois ? Toutes les personnes malades de cette civilisation le croient. Mais moi, je n'ai aucun cancer. Vous vous voyez, en face de moi, dans ce bar, en train de me dire d'une voix dont la lenteur se veut intense que je suis en danger de mort, et vous avez l'impression que vous êtes en train de vivre un grand moment, mais moi, je trouve tout ceci ridicule et lamentablement sentimental et je sais qu'il n'y a pas ce danger qui vous donne l'illusion de vivre un western ou une grande tragédie. Les sorcières vont faire fuir les touristes en les dégoûtant, et bientôt tout le monde aura oublié que Mississipi Free est sortie de sa clandestinité pendant quelques mois et qu'elle a failli agir et prendre les choses en main à Varthal. Et la vie reprendra son cours normal dans le quartier des gueux. Vous verrez, vous m'en reparlerez dans quelques mois. Il n'y a ni vol, ni duperie nulle part dans cette histoire, quand on y réfléchit un peu. Nous ne voulions rien. Rien que nous amuser et courir la ville et nous l'avons fait. Personne n'est en train de mourir. Vous avez trop de sommeil dans votre vie, vous avez besoin de vos insomnies actuelles, quitte à vous leurrer de contes fantastiques et de chimères pour arriver à ne plus dormir. Mais si vous pensez que vous allez me convaincre en me disant de cette voix dramatique que je suis en danger de mort…

— Je le crois vraiment, dit Cécil qui ne s'était pas démonté. Je n'ai pas fait ça pour vous parler un soir que je m'ennuyais, si c'est ce que vous pensez.

— Rien que de se rouler dans la neige en dévalant la pente de la rue du marché, dit Smine qui rêvait un peu, c'était notre seul désir et notre seul projet.

— Ah non ! dit Cécil vivement. Vous désirez bien autre chose. Vous n'auriez jamais écrit le moindre poème sans cela.

— Vous ne savez pas pourquoi j'écris, dit Smine avec un grand sourire. Vous seriez bien surpris de l'apprendre. Et vous, pourquoi écrivez-vous ?

— Pour me faire plaisir, sans doute… dit Cécil. Bien sûr, j'y suis obligé. En somme, je gagne ma vie en écrivant. Mais… j'ai du plaisir à écrire, continua-t-il soudain, très décidé. Je crois que personne d'autre ne pourrait faire ce que je fais. Je veux dire que très peu de gens en sont capables.

— Et moi, est-ce que j'écris comme vous le faites ? demanda Smine. De telle sorte que très peu de gens sont capables de faire la même chose ?

— Oui.

— Vous êtes sûr de ça, ou bien vous le dites pour vous sortir d'embarras ?

— Oh non, j'en suis extrêmement sûr. J'en ai eu la conviction quand j'ai vu comment vous avez été acceptée par Mississipi Free et toute la bande.

Smine posa sa main sur celle de Cécil et dit doucement, les larmes aux yeux :

— Vous me faites plaisir. Je suis bien contente si vous pensez que je peux écrire autre chose que de la philosophie.

— Oh, je suis sûr que vous n'avez pas besoin de vous cantonner à la philosophie, dit Cécil. Je ne comprends pas où vous avez pris cette idée.

— Laissez-moi partir, maintenant, dit-elle en se levant. Je viendrai vous voir demain à votre auberge. Je vous le promets.

Elle quitta le bar sans qu'il la retienne. Au lieu de rentrer chez Comédie, elle traversa les petites rues du marché jusqu'au palais royal. Dans son appartement princier, elle rédigea un bref billet à l'intention de Cécil, dans lequel elle lui expliquait comment elle s'était travestie pour lui prouver qu'elle pouvait s'amuser elle-même dans sa propre ville. Elle lui racontait ce qu'elle avait vécu chez les gueux et qu'elle avait désiré une revanche éclatante qui lui paraissait fade maintenant, qu'elle n'avait pas l'intention de pousser davantage ce jeu. Elle donna cette lettre à un valet, avec mission de la porter le lendemain à l'auberge du Cheval-qui-rit. Puis elle sella un coursier dans l'écurie de son père et prit la route qui sortait de la ville vers le sud, avec l'intention de se rendre aux Pays-Bas.

Épilogue

Cher Enguerrand,

Un petit mot pour vous dire adieu et vous remercier de toutes vos bontés. Sommes gens de la route, comme ne l'ignorez pas, et n'entendons pas bien les subtilités de vos esprits de Cour. Aussi bien, nous vous laissons votre chère ville afin que vous la débattiez entre vous. Pour nous, il nous suffit de nous promener et de nous amuser par les chemins aventureux de ce beau continent.

J'ai reçu à midi la lettre du Prince Smine, vous lui transmettrez mes hommages. Je ne saurais le faire moi-même, n'étant pas assuré de m'acquitter de cette tâche avec suffisamment de modération.

Mes hommages à Madame d'Alpenstock.

Cécil

P.-S. : Nous partons avec les chevaux du courrier qui arrivait aujourd'hui de Partenthal. Considérez cela comme un emprunt.

Le Bouffon Enguerrand laissa tomber la lettre et éclata de rire. À la vitesse de leur colère et s'ils avaient filé en ligne droite, ils devaient être à peu près à la frontière sud du pays à cette heure : il paraissait inutile d'essayer de les rattraper. Il décida qu'on jouerait la dernière pièce de Cécil pendant toute la saison et qu'il attendrait calmement leur retour.

Il était seul dans sa grande salle de musique. Il fit quelques révérences au miroir, de face, de profil, de dos, puis s'éloigna en sautillant.

Chronologie

1950	Pauline Harvey naît à Alma, le 17 novembre. Elle a étudié la littérature et le journalisme à l'Université Laval de Québec, puis la philosophie à Paris, où elle séjourne deux ans. Dans les années 1970, elle travaille comme journaliste à la salle régionale de Radio-Canada à Ottawa et comme traductrice pour le compte du gouvernement fédéral. Elle quitte son emploi pour se consacrer à l'écriture. Elle collabore à divers périodiques, dont *Mainmise*, *La Barre du jour*, *Hobo/Québec*...
1976	À partir de cette année, elle collabore à divers spectacles de poésie sonore.
1979	Elle participe, au cours de l'hiver, au spectacle *Célébrations*, qui réunit plusieurs femmes écrivains, au Théâtre du Nouveau Monde, puis à la salle Fred-Barry du théâtre Denise-Pelletier.
1980	Elle collabore au film *La nuit de la poésie 80*.
1982	Elle remporte le prix des Jeunes Écrivains du *Journal de Montréal* pour ses romans *Le deuxième monopoly des précieux* et *La ville aux gueux*.

1985	Elle mérite le prix Molson de l'Académie canadienne-française pour son roman *Encore une partie pour Berri*.
1986	Avec Lise Vaillancourt, elle écrit « Si toi aussi tu m'abandonnes », spectacle présenté en octobre par le Théâtre expérimental des femmes à l'Espace Go (Montréal).
1992	Le 19 mars, elle reçoit le prix Québec/Paris pour son roman *Un homme est une valse*, décerné dans le cadre du Salon du livre de Paris.

Aurélien Boivin
Département des littératures
Université Laval (Québec)

Bibliographie

I. Œuvres

Ta dac tylo va taper, [Montréal], Éditions Cul-Q, [1978], 31 p. [Poésie].

Le deuxième monopoly des précieux. Roman, [Montréal], Les éditions de la Pleine Lune, [1981], 223 p.

La ville aux gueux. Roman, [Montréal], Les éditions de la Pleine Lune, [1981], 256 p.

Encore une partie pour Berri. Roman, [Montréal], Les éditions de la Pleine Lune, [1985], 166 p.

« Montréal français », dans *Lèvres urbaines*, [Trois-Rivières], n° 16 [1990].

Pitié pour les salauds ! Roman, [Montréal], l'Hexagone, [1989], 184[3] p. (Collection « Fictions »).

Un homme est une valse. Roman, [Montréal], Les Herbes rouges, [1992], 157[1] p.

II. Études

BEAUDET, Marie-Andrée, « Interview. Pauline Harvey », *Québec français*, n° 77 (printemps 1990), p. 78.

——, « Pauline Harvey, romancière de l'inouï. Comment mettre à nu les tréteaux de la vie », *Québec français*, n° 77 (printemps 1990), p. 79-80.

BEAUDOIN, Réjean, « Pauline Harvey : Shawinigan à Montréal, station Berry », *Liberté*, n° 164 (avril 1986), p. 125-131.

BERTRAND, Claudine et Josée BONNEVILLE, « Pauline Harvey ou la Passion de l'écriture », *Arcade*, n° 10 (octobre 1985), p. 47-50.

CÔTÉ, Lucie, « Un cri d'amour pour Montréal. Pour écrire, Pauline Harvey a besoin de l'hystérie de la ville », *La Presse*, 106e année, n° 301 (25 août 1990), p. I-1 – I-2.

LEMELIN, Serge, « Pauline Harvey nous entraîne au royaume de l'imaginaire », *Le Quotidien* (Chicoutimi), 10e année, n° 12 (18 octobre 1982), p. 15.

MALENFANT, Paul Chanel, « La ville aux gueux, Pauline Harvey [...] », *Nuit blanche*, n° 11 (décembre 1983-janvier 1984), p. 13.

MARTEL, Réginald, « Un conte de Pauline Harvey. Très savoureux éloge de l'anarchie », *La Presse*, 98e année, n° 223 (25 septembre 1982), p. C-2.

MARTIN, Jean-Guy, « Le Prix littéraire du *Journal de Montréal*. Philippe Haeck, grand prix littéraire. Pauline Harvey, prix des Jeunes Écrivains » *Le Journal de Montréal*, vol. XIX, n° 124 (16 octobre 1982), p. 9.

——, « Les Auteurs de chez nous. Pauline Harvey : de la poésie au roman avec autant de bonheur », *Le Journal de Montréal*, vol. XIX, n° 139 (30 octobre 1982), p. 52.

MILOT, Louise, « Pauline Harvey », *Lettres québécoises*, n° 40 (hiver 1985-1986), p. 47-49.

NEUVILLE, Hélène, « Au pays des contes pour grandes personnes », *Journal des rivières*, semaine du 11 au 17 octobre 1982, p. 6.

OUELLETTE-MICHALSKA, Madeleine, « Pauline Harvey : du côté des funambules », *Le Devoir*, vol. LXXIII, n° 228 (2 octobre 1982), p. 28.

WAELTI-WALTERS, Jennifer R., « Moral Tales. [...] Pauline Harvey, *La ville aux gueux* », *Canadian Literature*, n° 101 (été 1984), p. 90-91.

Aurélien Boivin
Département des littératures
Université Laval (Québec)

Table des matières

Achevé d'imprimer
en juin 1994 sur les presses
des Ateliers Graphiques Marc Veilleux Inc.
Cap-Saint-Ignace, (Québec).